THE SONG OF THE MASSACRED JEWISH PEOPLE

1.

YITZHAK KATZENELSON

THE SONG OF THE MASSACRED JEWISH PEOPLE

TRANSLATED BY JACK HIRSCHMAN

REGENT PRESS
Berkeley, California

ISBN 13: 978-1-58790-558-2

ISBN 10: 1-58790-558-2

Library of Congress Cataloging-in-Publication Data
Names: Katzenelson, Itzhak, 1886-1944, author. | Hirschman, Jack, 1933- translator.
Title: The song of the massacared Jewish people / Yitzhak Katzenelson ; translated by Jack Hirschman.
Other titles: Lid funem oysgeharget n Yidishn folk . English
Description: Berkeley, California : Regent Press, [2021] | Summary:
Identifiers: LCCN 2020056652 | ISBN 9781587905582 (paperback) | ISBN 1587905582 (paperback)
Subjects: LCSH: Holocaust, Jewish (1939-1945)--Poetry. | LCGFT: Poetry.
Classification: LCC PJ5129.K38 L4813 2021 | DDC 839/.113--dc23
LC record available at https://lccn.loc.gov/2020056652

Yiddish Text from the Italian Edition
IL CANTO DEL POPOLO EBRAICO MASSACRATO

DOS LID FUNM OYSGEHARG'ETN YIDISHN FOLK

Seconda edizione 1998

Cover Painting by Jack Hirschman

Manufactured in the U.S.A.
REGENT PRESS
Berkeley, California
www.regentpress.net

CONTENTS

BIOGRAPHY OF THE POET

Yitzhak Katzenelson was born on 21 July 1886, in Karelitz, now Korelichi, near the Belorussian capitol of Minsk, as the son of Hinda Katzenelson and Jakob Benjamin Katzenelson, who was a writer and a teacher.

Soon after his birth, the Katzenelson family moved to Lodz, Poland, where Yitzhak was considered a literary prodigy. By the age of twelve, he already had written his first play, *Dreyfus un Esterhazy.* He performed it with other young people in his own backyard.

As an adult, he first became known for his Hebrew textbooks and books for children, which were the first of their kind. He also wrote Yiddish comedies, which he translated into Hebrew. His first volume of poetry, *Dimdumim* (Hebrew for *Twilight*), appeared in 1910 and, two years later, Katzenelson founded the theatre Habima Halvrit (The Hebrew Stage) and a Hebrew school in Lodz. He also contributed to the development of modern Hebrew through his work as a translator. He translated works by Shakespeare and Heine, among others, into Hebrew.

Several of hisYiddish plays were performed in Lodz even before the First World War, and he took it on tours of cities in Poland and Lithuania. Before the First World War Katzenelson undertook the creation of a network of Hebrew schools in Lodi, from kindergarten to high school, which functioned until 1939. He was the author of textbooks, biblical plays, and children's books.

Beginning in 1930 he belonged to the Dror movement in Lodz and to the He-Halutz movement, the latter operating a training kibbutz — Kibbutz Hakhsharah — in Lodz. Katzenelson's work in the interwar period was based on his sense that Jewish life in the Diaspora was incomplete; this belief also motivated his participation in cultural and other public affairs in those years. Such feelings appear in his works in the form of sombre symbols of death, boredom, and silence. In his Yiddish play *Tarshish*, Katzenelson deals with the roots of anti-Semitism in Poland and with the utter hopelessness of Jewish life on Polish soil.

The German blitzkrieg against Poland began on September 1, 1939 and, eight days later Lodz, then home to some 250,000 Jews, was occupied by the Germans. Like many other Jewish institutions, Katzenelson's school was closed; it later served as Gestapo headquarters.

At the urging of his family, Katzenelson fled in late November 1939 to Warsaw, his wife Hanna and their three children followed him there. In the Warsaw Ghetto, Katzenelson worked in the underground as a teacher of religion and Hebrew and published, under various pseudonyms, poems, short plays and articles in the clandestine newspaper of the socialist Zionist organization Dror (Freedom in Hebrew). Many of his works dealt with current events, while others had Biblical or historical settings and served as a transparent reflection of what was occurring at the time.

Katzenelson wrote poems about hunger and the cold, which were intended not as works of art, but as a vivid expression of suffering; his images were a realistic expression in reaction to the desolate circumstances. The time in the Warsaw Ghetto was Katzenelson's most creative period. In the Ghetto he wrote approximately fifty plays, epics in verse and poems.

In the 19 months of the Nazi occupation of Warsaw,

Katzenelson attempted to strengthen the Ghetto inhabitants' will to live, by interpreting everyday events in relation to Jewish history. His plays were performed in the orphanages of Korczak and Dombrowski, and weekly readings were held in the Dror commune at 34 Dzielna Street. With the help of a mimeograph machine Dror published Katzenelson's Yiddish play *Lov (Job)* in the Warsaw Ghetto on June 22, 1941. It was the only Jewish book published by Jews during the German occupation.

On July 22, 1942, the Germans commenced the long-dreaded mass deportation of the Jews of Warsaw to the death camp at Treblinka. Within space of a few weeks a large percentage of the inhabitants of the Warsaw Ghetto had been murdered there.

Katzenelson's wife Hanna, and his two younger sons, Benjamin and Benzion were deported to the Treblinka death camp on August 14, 1942, where all three perished. At the time of the mass deportation "aktion," Katzenelson worked in the Hallmann workshops.

Two days before the beginning of the mass deportations, Mordechai Tennenbaum, one of the leading members of Dror He-Halutz and one of the influential figures in founding the Jewish Fighting Organisation (ZOB), concealed some of Katzenelson's writings, along with the Dror archives, in an underground hiding place, some of which survived, and are now in Israel. Katzenelson and his oldest son, Zvi, were smuggled into the Fritz Schulz workshop and thus protected from deportation.

On January 18, 1943 the Nazis attempted the "Second Aktion"— to deport the so-called illegal Jews who were not employed in German-owned factories, which led to the Jewish underground's resistance, and the Germans broke off the deportation after only four days.

Heinrich Himmler the Reichsfuhrer-SS ordered the SSPF (SS Police Leader) of Warsaw District von Sammern to liquidate the Ghetto by February 14,1943. On April 19, 1943 the Germans began the "Grosaktion" to finally liquidate the Warsaw Ghetto. The Jews revolted and turned back the German forces, and thus began a revolt that lasted 27 days. One day after the start of the revolt, Katzenelson and his oldest son Zvi were smuggled out of a Ghetto bunker at 50 Lesz Street into the "Aryan" part of the city.

Yitzhak Katzenelson and his son Zvi went to the Polski Hotel along with many other Jews who held foreign passports/documentation. Katzenelson and his son had procured documents from Yitzhak's friend, Daniel Guzik, certifying their citizenship of Honduras, and they left the Hotel Polski to the French internment camp at Vittel

On October 3, 1943, two days after Rosh Hashanah, the Jewish New Year, Katzenelson started writing his most famous work, *Dos Lid Funem Oysgehargen Yidishn Folk (The Song of the Massacred Jewish People).* On January 18, 1944 he completed his epic work and he then concentrated on making corrections and copies.

Two months after its completion, all the Jews interned in the Vittel Camp were declared stateless, and on April 18, 1944, all 173 Polish Jews were transported in three railroad cars to the Drancy Transit Camp near Paris.

Yitzhak Katzenelson and his son Zvi were deported on the 72nd RSHA transport from France, which arrived at the Birkenau camp on May 1, 1944. This transport contained 1,004 Jewish men, women and children. 865 Jews were murdered in the gas chambers, probably including Yitzhak and Zvi Katzenelson.

In the Spring of 1944, shortly after Katzenelson had completed his epic, Ruth Adler, a German Jew from Dresden who had a British Palestinian passport, received permission to leave the country in an exchange for German Prisoners of War. In the leather handle of her suitcase, she smuggled out one of the two copies out of the *Vittel Camp* and went to Israel.

The other copy was buried by Katzenelson with the help of fellow internee, Miriam Novitch – in three sealed glass bottles under a tree in the Vittel Camp. After the Camp's liberation Miriam Novitch, with the help of a laundress friend, retrieved the manuscript, as well as other writings by Katzenelson.

His epic poem was first published in May 1945, barely a year after his death, and the Ghetto Fighters House in Israel is named after Yitzhak Katzenelson and its Museum has made extensive efforts to collect his manuscripts and to translate his works into English and other languages. Katzenelson's *Vittel Diary* was published in English in 1964.

TRANSLATOR'S PREFACE

As I begin this Preface, which is the 77th anniversary of the beginning of the Warsaw Ghetto Uprising, that is April 19, 1943, I want to be explicitly accurate about my relation to this great poem of Yitzhak Katzenelson's hand.

Anecdotally, I had heard in my early "literary" adult-years that there'd been a long Yiddish poem written about the Holocaust in which the poet had warned that if the Jews took up the gun, they'd become the people who had genocided them. Katzenelson's name was never mentioned with respect to that poem, nor was any poet by name.

In 1980 in San Francisco I was shown a copy of it, only in Yiddish, by Michel Gurwitz. I mention Michel here because only a few days ago I learned from Bob Yarra, a mutual friend of both Michel and myself, that Michel had died only a couple of months ago in Harlem in New York and, according to another friend, one Micha Odenheimer in Israel, Michel was "a beat Jewish hero and descendant of the Baal Shem Tov, the founder of Hasidism," who spent most of adult life wandering from Lower East Side shelters, to sleeping on subways, panhandling when broke, and now and then visiting friends in other cities.

Apparently as well, says Micha, Michel had made a translation of the Katzenelson book and, in his memorial piece about Michel, Micha (who always called Michel Reb Mechel) even quotes a couple of quatrains from the poem, saying that when he and Michel brought the translation to the Jewish Theological Seminary to see whether the people there would be interested in publishing Michel Gurwitz's translation, they were told that someone else had submitted a translation that they were going to use.

And in fact Micha asks: Does anyone have it (Michel's translation)? For it has not turned up after his death.

When I met Michel in 1980 I had just officially joined the Communist Labor Party in San Francisco, a small but very revolutionary Party and, as I was very much involved in writing poems in Russian to help "save" the Soviet Union, which was still the Cold War enemy of the United States, I did not know Yiddish at the time, though I thought the Katzenelson book a potentially interesting project.

I could not find any translation of it into English except at the Holocaust Library in San Francisco, which I visited in the '90s. The translation was done by veterans of the Warsaw Ghetto Uprising in an edition published bilingually in Israel.

It was only in the new Millennium, when I wanted to translate the poems of Hirsh Glik, the young poet who wrote the Jewish partisan anthem, *Zog Nit Kaynmol,* and who died at 23 in Auschwitz, that I learned to read literary Yiddish and, with Zachery Baker, we translated Glik's *Songs and Poems,* which was published by CC. Marimbo of Berkeley in 2010.

With the Coronavirus pandemic that we are all still pretty much encircled by, I decided to translate *The Song of the Massacred Jewish People* by Katzenelson.

The title is most always written as *The Song of the Murdered Jewish People,* but Massacred is the more accurate definition of the Yiddish word *oysgeharg'etn.*

The Song is made up of 15 sections, each with 15 quatrains. I asked myself what the number 15 could have meant to Katzenelson. Was it some kabbalistic fascination of his? The Passover occurs on the 15th day of the Hebrew month of Nisan and Yitzhak knew the Hebrew language very well and, on that day, the Hebrews of the Bible began their exodus from Egypt.

Or, perhaps it was that, of the names of women in the Bible, the name Miriam is just one of two names used 15 times, and Miriam Novitch, (a woman friend in the concentration camp in Vittel, France where Yitzhak wrote the 900 line poem between October 1943 and January 1944), was the only person he told he'd buried the texts in bottles under a tree. After the war, Miriam recovered the texts, as well as the texts of a Diary and other writings he'd buried.

Katzenelson didn't participate in the Warsaw Ghetto Uprising, which began on April 19, 1943, because he and his son Zvi, were hidden in an Aryan part of the city for three weeks after the revolt began. Then, and also because of his reputation as a poet and writer (in Hebrew) of children's books, false passports for him and his son, of Honduran citizenship, were obtained.

In 1943 there was a "privileged" concentration camp in Vittel where prisoners especially of Latin American countries would be exchanged for German prisoners fallen to the Allies, and be able to reach a free country.

In May, 1943, Yitzhak and his son Zvi, with a small group of "lucky ones" were sent to Vittel, where, as the war after Stalingrad turned greatly in favor of the Allied forces, in March 1944, Katzenelson and his Zvi were taken to a "transit" concentration camp in Drancy, near Paris, where shortly thereafter they were sent to the gas chambers at Auschwitz. Tragically and ironically.

In late April, 1944, after they were dead, the Nazis recognized their South American passports as valid and the mandated British government of Palestine allowed their immigration there.

Now it's very important to me that you, the reader, understand that what you are about to read is not a literal translation of the texts by Katzenelson. A literal translation of this work would not only be impossible because to capture his brilliant poetic sibilance and rhythms in his Yiddish is beyond any linguist, but also this:

This long poem is a lament, a cry, a weeping, an outcry that, if literally translated with all the repeated "Listen to me!" or "O my people," the text would result in an over-sentimentalized American version.

I've tried to stay firm with the structure of 15 Sections made up of 15 quatrains in each Section; that is, each Section has its own particular theme. I've sought to manifest that "line" of thoughtful feeling in each Section. At times it's essential for me to minimize expressions like. "Listen, listen!" to just one "Listen!"

Or to mute some of the text that moves in the direction of the sentimental. At times as well, in order to more-dramatically manifest imagery and avoid Katzenelson's remembrance of the actions in the Ghetto, which he did live through, I will shift the tense from Past to Present.

Especially in Sections 14 and 15, where Katzenelson, whose quatrains in most previous Sections follow an almost blank-verse 5-stress pattern, extends his lines to a more-than-alexandrine length (I think largely because, near the end of his work, he wants to include much more yet remain faithful to the form of 15 parts), it was necessary for me to hone in and, as in previous Sections, manifest the essential meaning of each quatrain.

One other translative matter is necessary to describe: throughout the poem the word Nazi is hardly used. This is extremely unusual given that this is a holocaustic work. The closest are the initials SS, or the "They" (in which Nazis can be implied); otherwise one sees *daytsh*, meaning German. The danger is that this work, which expresses a hatred understandable at the time of the writing for all Germans, remains ethnically troubling, though he also expresses a hatred for most Gentiles, that is Poles who worked with the enemy and, most of all, for Jews who sold out to the Germans, becoming cops for them, arresting and even killing other Jews. For them, his hatred is deepest.

In all fairness, the Nazis killed thousands upon thousands of Poles, Polish Communists or ordinary Catholics. In fact, one of the most unforgettably horrifying books I ever looked into was a book of photographs of Poles. Page after page were photos of huge chambers filled with the bones of Polish people. The Nazis, after murdering them, had their bodies sawn and so all one observed were bones and more bones. I witnessed this in a book 60 years ago in the library of Dartmouth College in Hanover, New Hampshire, where I was teaching.

Doubtlessly or, let me say, in my opinion Katzenelson refused the word Nazi because the Yiddish word for a Jew—in Germany and France before his commuting to Poland, Lithuania, Russia and other East European countries—is Ashkenazi (from the Hebrew Ashkanaz = German). And it was this rather ironic coincidence that I believe caused the linguistic omission.

But when in the 14th quatrain of the 15th and final Section of the poem, Yitzhak writes that "those warm heads of my Communists won't quarrel anymore with my Bundists and both no longer will fight with my faithful Chalutzim..." we see clearly the political strife that was going on at the time among the Jews. My thanks to Zachery Baker who was very helpful in bringing Section 2 to light; to Bob Yarra for his providing Micah Odenheimer's beautiful tribute to Michel Gurwitz, as well as Michel's own essay of his life on the streets, written under a pseudonym.

Most importantly, my thanks to the Editrice La Giuntina in Firenze (Florence), Italy, which in 1995 published Katzenelson's poem in (1) the original Yiddish, (2) a phonetic rendering of the Yiddish and, (3) a translation into Italian by Sigrid Sohn, with a poetic version by Daniel Vogelmann. That book has been profoundly instrumental for me in manifesting my translation.

It is not very well known but Italy, more than the United States or Great Britain, has been welcoming to Hebrew, Aramaic and now Yiddish literature. The Spanish Kabbalist poet and mystic, Abraham Abulafia, wrote 29 of his books in Messina, Sicily, and the translations of them into English and Italian, as well as of other Kabbalists, are available only in a book-selling site in a small city near Trieste, the town of Monfalcone. Without knowing that, I visited Monfalcone a decade ago to embrace my beloved compagna, Yolanda Bodi, who had returned there from the Caffe Trieste in San Francisco, where she'd been the "Mama" to all for a generation, and where she died, revered by thousands. I've often thought that perhaps the co-incidence is not so co-incidental.

J.A.H.

for the soul of my Hanna
and the soul of my brother Berl
who were massacred with their families
and do not have graves

א. זינג!

„זינג! נעם דיין האַרף אין האַנט, הויל, אויסגעהוילט און גרינג,
אויף זיינע סטרונעס דין וואַרף דיינע פינגער שווער,
ווי הערצער, ווי צעווייטאָקטע, דאָס ליד דאָס לעצטע זינג,
זינג פון די לעצטע יידן אויף אייראָפּא׳ס ערד‟.

ב.

– ווי קען איך זינגען? ווי קען איך עפענען מיין מויל,
אַז איך בין געבליבן איינער נאָר אַליין –
מיין ווייב און מיינע עופה׳לעך די צוויי – אַ גרויל!
מיך גרוילט אַ גרויל... מע ויינט! איך הער ווייט אַ געוויין –

ג.

„זינג, זינג! הייב אויף צעווייטאָקט און געבראָכן הויך דיין שטים,
זוך, זוך אים אויף דאָרט אויבן, אויב ער איז נאָך דאָ –
און זינג אים... זינג דאָס לעצטע ליד פון לעצטן יידן אים,
געלעבט, געשטאָרבן, נישט באַגראָבן און נישטאָ...‟

ד.

– ווי קען איך זינגען? ווי קען איך אויפהויבן מיין קאָפּ?
מיין ווייב אַוועקגעפירט, און מיין בנציון׳קען און יאָמעלען – אַ קינד –
איך האָב זיי ניט בײַ מיר דאָ, און זיי לאָזן מיך ניט אָפּ!
אָ שאָטנס פינסטערע פון מיינע ליכטיקסטע, אָ שאָטנס קאַלט און בלינד!

ה.

„זינג, זינג אַ לעצטן מאָל נאָך דאָ אויף דר׳ערד, פאַרוואַרף
דיין קאָפּ אהינטער, פאַרגלייז די אויגן אין אים שווער
און זינג א לעצטן מאָל אים, שפּיל אוים אים אויף דיין האַרף:
ניטאָ שוין מער קיין יידן! אויסגעהרג׳עט און ניטאָ זיי מער!‟

1 SING!

1.

Sing! Take your curved and light harp in hand
and throw your fingers at its subtle strings.
Heartsick, sorrowful, sing the last song,
of the last Jews on European earth.

2.

But how can I sing, even open my mouth, as I'm
so very much alone? My wife and two children...What a
horror! I'm shuddering...and I'm hearing weeping,
weeping everywhere.

3.

"Sing, sing! Lift up your broken and tormented voice and
seek Him, seek Him above, if still there, sing for
and to Him the ultimate song of the last Jews who
lived, died, unburied and nothing more."

4.

But how can I? How can I lift my head? They took my
wife, sons Benzion and little Yomele. No more with me
yet they'll never leave, o dark shadows of my brightest ones,
shadows cold and blind.

5.

"Sing, sing for the last time, throw back your head, fix
your eyes on Him and sing them for the last time, sound
your harp for Him: there are no more Jews!
They've exterminated all of them!"

ו.

– ווי קען איך זינגען? ווי קען די אויגן איך פֿאַרגלייזט
אין קאָפּ אין מײַנעם הויבן? אַ טרער פֿאַרגליווערט האָט
פֿאַרקליבן זיך אין אויג מיר... זי רײַסט זיך, רײַסט
פֿון אויג אַרויס זיך – און זי קען ניט פֿאַלן... גאָט, מײַן גאָט!

ז.

"זינג, זינג, הויב אויף צו הימלען הויך און בלינד דײַן בליק,
ווי ס'וואָלט געווען אַ גאָט דאָרט אין די הימלען... ווינק אים, ווינק –
ווי ס'וואָלט געשײַנט, געלויכטן אונדז נאָך דאָרטן גרויס אַ גליק!
זינג אויף די חורבות פֿון דעם אויסגעהרג'עטן פֿון פֿאָלק און זינג!"

ח.

– ווי קען איך זינגען – אַז ס'איז די וועלט מיר וויסט?
ווי קען איך שפּילן מיט פֿאַרבראָכענע מיט הענט?
וואו זענען מײַנע טויטע? איך זוך די טויטע מײַנע, גאָט, אין יעדן מיסט,
אין יעדן בערגל אַש: – אָ, זאָגט מיר וואו איר זענט?

ט.

שרײַט אויס פֿון יעדן זאַמד, פֿון אונטער יעדן שטיין,
פֿון אַלע שטויבן שרײַט, פֿון אַלע פֿלאַמען, פֿון יעדן רויך –
ס'איז אײַער בלוט און זאַפֿט, עס איז דער מאַרך פֿון אײַער ביין,
ס'איז אײַער לײַב און לעבן! שרײַט אַרויס, שרײַט הויך!

י.

שרײַט אַרויס פֿון חיות־אינגעווייד אין וואַלד, פֿון פֿיש אין טײַך –
זיי האָבן אײַך געגעסן, שרײַט פֿון קאַלכאויוונס, שרײַט קליין און גרויס,
איך וויל א נוואַלד, אַ ווייגעשריי, אַ קול, איך וויל אַ קול פֿון אײַך,
שרייַ אויסגעהרג'עט ייִדיש פֿאָלק, שריי, שריי אַרויס!

יא.

ניט שריי צום הימל, ער הערט דיך ווי די ערד, דער הויפֿן מיסט,
שריי ניט צו דער זון, ניט רייד צום לאָמפּ... אַך, ווען איך קען
פֿאַרלעשן זי, ווי מען פֿאַרלעשט אַ לאָמפּ אין רוצחים־הייל דאָ וויסט!
מײַן פֿאָלק, האָסט מער געלויכטן! ביסט ליכטיקער געווען!

6.

But how can I sing? How fix my eyes on Him?
A congealed tear's established itself in my eye...
it struggles, it tears itself out yet it can't fall...
God, my God!

7.

"Sing, sing! Raise your gaze to the heavens
as if there were a God for us up there who's
making a sign as though a great joy awaited us.
Sit amid the ruins of your massacred and sing!"

8.

But how can I in a world so empty for me now?
How sound with these miserable hands?
Where are my dead ones? I look for them, in dung-heaps,
in every pile of ashes. O, tell me where you are.

9.

Shout from every strip of land, under every stone,
shout from the dust, from the flames and smoke---
it's your blood, your lymph, your bone-marrow,
it's your flesh, your life! Shout it out stronger!

10.

Cry from the guts of forest beasts, from the fish,
that they've devoured you. From the ovens, shout,
little and big ones, let me hear your cries,
your sobs crying out, murdered Jewish people.

11.

Don't invoke the heavens: it doesn't hear you. Nor
does earth, this pile of shit. Or invoke the sun or beg for a lamp.
Oh, my people, you've been the most radiant light
of the sun in the world for me!

יב.
אָ ווייז זיך מיר, מיין פֿאָלק, באַווייז זיך, שטרעק די הענט
אַרויס פֿון גריבער טיף און מיילן לאַנג און אָנגעפּראָפּט געדיכט,
שיכט אונטער שיכט, מיט קאַלך באַגאָסן און פֿאַרברענט,
אַרויף! אַרויף! שטייגט פֿון דער אונטערשטער, דער טיפֿסטער שיכט!

יג.
קומט אַלע פֿון טרעבלינקי, פֿון סאָביבאָר, פֿון אָשווענטשים,
פֿון בעלזשיץ קומט, קומט פֿון פּאָנאַרי און פֿון נאָך, פֿון נאָך, פֿון נאָך!
מיט אויגן אויפֿגעריסן, פֿאַרגליווערט אַ געשריי, אַ גוואַלד און אָן אַ שטים,
פֿון זומפּן קומט, פֿון בלאָטעס איינגעזונקען טיף, פֿון פֿוילן מאָך –

יד.
קומט געטריקנטע, צעמאָלענע, צעריבענע, קומט, שטעלט זיך אויס,
אין אַ קאַראָהאָד, אַ ראָד אַ גרויסן אַרום מיר, איין גרויסע רייף –
זיידעס, באָבעס, טאַטעס, מאַמעס מיט די קינדערלעך אין שויס –
קומט, ביינער יידישע פֿון פּראָשקעס, פֿון שטיקלעך זייף.

טו.
ווייזט זיך מיר, באַווייזט זיך אַלע מיר, קומט אַלע, קומט,
איך וויל אייך אַלע זען, איך וויל אייך אָנקוקן, איך וויל
אויף מיין פֿאָלק, מיין אויסגעהרג'עטן, אַ קוק טאָן שטום, פֿאַרשטומט –
און איך וועל זינגען... יאָ... אַהער די האַרף – איך שפּיל!

3-5.10.1943

12.

Rise up, my people. Stretch your arms out of pits so deep,
where layer upon layer are covered in quicklime
and burnt-out. Rise up from the final,
the deepest of all the layers.

13.

Come, all of you, from Treblinka, Sobibor, Belzec,
Auschwitz, Ponary and the other camps, with eyes wide-open
and a cries of terror muted. Come from marshes,
mud-smothered, putrefied in moss.

14.

Come, you desiccated, smashed and broken-into-
pieces, in a circle around me forming a huge ring:
grandpas, grandmas, fathers, mothers with babies
at necks. Come, Jew-bones dust become ashes.

15.

Rise, show yourselves to me. Come all, come on,
I want to see you, want to look at you, want to contemplate
in silence my murdered people. And I'll sing! Yes.
Give me the harp. Look, I'm playing!

ב. איך שפּיל

איך שפּיל. איך האָב געזעצט זיך נידעריק אויף דר'ערד
און האָב געשפּילט און אומעטיק געזונגען: אָ, מיין פאָלק!
מיליאָנען יידן זענען ארום מיר געשטאַנען און געהערט,
מיליאָנען אויסגעהרג'עטע זענען געשטאַנען, זיך צוגעהערט – אַ גרויס געפאָלג!

ב.
אַ גרויס געפאָלג, אַ מחנה גרויס, אַך גרויס! יחזקאל'ס טאָל
מיט בּיינער פול וואָלט אין אַ ווינקל דאָ באַהאַלטן זיך געקענט –
און ער אליין, יחזקאל, ער וואָלט ניט האָפערדיק אזוי, ניט גלויביק ווי אמאָל
צו אויסגעהרג'עטע גערעדט, ער וואָלט ווי איך פאַרבּראָכן מיט די הענט.

ג.
ווי איך, ווי איך פאַרוואָרפן אומבאַהאָלפן שווער דעם קאָפּ,
און אָנגעקוקט פאַרשטערט דעם הימל־גרוי און ווייט און וויסט אַרום,
און ווידער שווער אַראָפּגעלאָזן אים, אַראָפּ, אַראָפּ, אַראָפּ,
אַ שטיין פארשטיינערט צו דער ערד געבויגן טיף און שטום.

ד.
יחזקאל! ייד, דו ייד אין בּבל־טאָל, דו האָסט געזען
די אויסגעטריקנטע די בּיינער פון דיין פאָלק, און האָסט –
פאַרלאָרן זיך, יחזקאל... און אַ צומישטער ווי אַ מאַנעקען
פון אייבּערשטן פון דיינעם אין טאָל אין יענעם פירן זיך געלאָזט.

ה.
און געלאָזט זיך פרעגן: הֲתִחְיֶינָה? זאָג, צי וועלן נאָך
אויפלעבן די בּיינער אָ? דו ווייסט ניט יאָ צי ניין –
טאָ וואָס זאָל איך, אָ וואָס זאָל איך שוין זאָגן? וויי, אַ בּראָך!
עס איז פון אויסגעהרג'עטן פון פאָלק פון מיינעם ניט געבליבן קיין געביין!

2 I'm Playing

1.

I'm playing, I've sat myself down on the ground
and have played and sadly sung: o my people!
Millions of Jews stood around me and heard,
murdered millions forming a huge crowd, listening!

2.

A huge crowd, a giant multitude! Ezekiel's valley full of
bones could fit in a corner and the same Ezekiel
wouldn't speak to the massacred of hope but was,
like me, wringing his hands.

3.

Like me, helplessly casting down a heavy head and
gazing in frustration at the vast grey sky and its emptiness,
he would have thrown his head down, even lower,
like a stone, a poor pebble.

4.

Ezekiel, Jew of the Babylonian valley, you've seen
the desiccated bones of your people and felt as lost and
confused as a marionette, by God, by your God, you've
been driven into this valley.

5.

And when you were asked, "Hasikhyeno?
(Will these bones recover their lives?)" you didn't know
how to respond. What, what can I say? That not
a single bone remains of my massacred people!?

ו.

ניטאָ אויף וואָס אַ לייב אַרויפצוחעצן און אויף וואָס אַ הויט
אַרויפצוציען און אין וואָס אַריינבלאָזן אַ גייסט –
זע, זע, אַ פאָלק אַן אויסגעהרג׳עטער דאָ גאַנץ, אַ פאָלק געטויט
קוקט אָן אונדז שטאַר, קוקט אָן מיט אויגן אונדז פאַרגלייזט.

ז.

זע, זע – מיליאָנען קעפּ און הענט צו אונדז געוואָנדן – צייל!
און פּנים׳ער און ליפּן זע – איז אַ געבעט אויף זיי פאַרשטאַרט צי אַ געשריי!
גיי צו און ריר זיי אָן... ניטאָ וואָס אָנצורירן – הייל!
כ׳האָב אויסגעטראַכט אַ יידיש פאָלק! כ׳האָב אויסגעטראַכט דאָך זיי!

ח.

ניטאָ זיי! און זיי וועלן דאָ אויף דר׳ערד שוין מער ניט זיין!
איך האָב זיי אויסגעטראַכט, יאָ, אַזוי זיץ איך און איך טראַכט זיי אויס –
נאָר אמת זענען זייערע עינויים וואס דו זעסט, די פּיין, די פּיין
פון זייער אויסגעהרג׳עט ווערן איז דאָך וואָר און גרויס...

ט.

זע, זע, זיי שטייען אַלע אַרום מיר און ווייט און לאַנג,
און אַלע זיי – אַ שווידער גייט אַדורך מיר, דורך מיין לייב –
זיי קוקן מיט בן־ציונ׳קעס, מיט יאָמעקס אויגן באַנג,
זיי קוקן אַלע מיט די אומעטיקע אויגן פון מיין ווייב.

י.

מיט מיין ברודער בערלס גרויסע, בלאָע אויגן – יאָ!
ווי קומט צו זיי זיין בליק? אָט איז ער! ער אליין!
ער זוכט די קינדער זיינע און ער ווייסט ניט אז זיי זענען דאָ,
צווישן די מיליאָנען דאָ... איך זאָג עס אים ניט, ניין...

יא.

מיין חנה׳ן האָט מען צוגענומען אינאיינעם מיט אונדזערע צוויי זין!
מיין חנה ווייס, מיט איר צוזאַמען האָט מען זיי פאַרשלעפּט –
זי ווייס נאָר ניט וואו צבי איז? זי ווייס פון מיר ניט וואו איך בין,
זי ווייסט ניט פון מיין אומגליק, זי ווייסט ניט אז איך לעב...

6.

There's nothing left to put skin and flesh on, not a
thing in which to breathe a new spirit.
Look, an entire massacred, dead people
is fixing on us with eyes glazed over.

7.

See, millions of heads and hands reaching to
contact us! Look at those lips. Is it prayer affixed
to them or howl? Go on, try touching them.
Nothing. I've invented a Jewish people! Imagined them.

8.

They're no more! And they won't be returning to
this earth! I've invented them, sat down and invented them
Only their sufferings which you see, the pains
in being murdered are real, immense.

9.

Look, look, they're all around me, a giant crowd
and all of them a shudder going through me.
They look sadly with Benzion's andYomele's sad eyes,
and all with the desolate eyes of my wife.

10.

With the big blue eyes of my brother Berl, yes.
How come they have his look? It's him! He alone!
He's looking for his kids not knowing they're among
those millions, and I won't tell him, no.

11.

My Hanna was taken with our two sons! My
Hanna knew: they were all three together, but
she didn't know where Zvi is, nor where I am,
or of my misfortune, not knowing I'm alive.

יב.
זי הויבט צו מיר די אויגן אירע ווי ס'הויבט די אויגן שטום
צו מיר דאָס פאָלק דאָס גאַנצע און ווי זי וואָלט מיך ניט געזען –
קום, שווייגנדיקע און אזוי פיל זאָגנדיקע, קום, חנה, קום,
קוק איין זיך, הער זיך צו צום קוֹל צו מיינעם און דערקען!

יג.
הער, בנציק'ל מיין יונגינקער, מיין נָאון, דו פארשטייסט
אַן איכה־ליד אַ לעצטס פון לעצטן, לעצטן ייד –
און דו, מיין יאָמעלע, מיין ליכטיקער, מיין טרייסט,
וואו איז דיין שמייכל, יאָם? אָ, שמייכל, שמייכל ניט...

יד.
איך שרעק פאַר אים זיך, יאָמעלע, אזוי ווי מען באַדאַרף
פאַר מיין'ס אַ שמייכל שרעקן זיך... הער צו זיך צום געזאנג –
איך האָב מיין האַנט ווי אַ האַרץ געוואָרפן אויף מיין האַרף,
און זאָל אונדז וויי טאָן מערער נאָך!... אי וויי, אי באַנג!...

טו.
יחזקאל'ען, אים, ניין, ירמיה'ן... אים אויך, איך דארף אים ניט!
איך האָב גערופן זיי: אָ העלפט מיר, העלפט ארויס!
נאָר כ'וועל אויף זיי ניט וואַרטן מיט מיין לעצטן ליד –
זיי מיט נביאות און איך אין ווייטאָקן אין מיינע גרויס.

5.10.1943

12.

She lifts her eyes to me vacantly like all my people
and as if she didn't see me. Come, silent ones,
so eloquent ones, come, Hanna, come look at me,
listen and recognize me!

13.

Listen, Benzion, my little gaon*, you can fathom
the last lament of the very last Jew, and Yomele,
you, my light and consolation, where's your smile,
Yom? O, not smiling...not smiling...

14.

I'm afraid of that, Yomele, as others ought to be afraid
of my smile. Listen to my song. I've thrown my hand
like a heart at my harp and it may hurt us even more,
with both pain and anguish!

15.

Ezekiel, him? No. Jeremiah? No. I've no need of
them. I've called out to them, Help me. But I'm
not waiting for them with my last song, they in
their prophecies and I in my huge suffering.

ג. אָ ווייטאָקן איר מײַנע!

ווייטאָקן! אָ ווייטאָקן איר מײַנע... וואויל, יידן אייך, אָ וואויל אייך, וואויל!
וואויל אייך עלנטע, אייך איבערבלייבעכצן אויף יענע זייטן ים,
וואָס איר ווייסט עס ניט, אַך, ווען עס עפנען מײַנע ווייטאָקן אַ מויל
זיי וואָלטן אייך דאָס לעבן אייערס, אייך די וועלט פאַרפינסטערט און פאַרסמ׳ט.

ב.
ווייטאָקן, איר וואַקסט דאָך אזוי גרויס אין מיר, איר וואַקסט און שטײַגט –
וואָס עקבערט איר? צי רייסט איר עס אין מיר אריין זיך, צי רייסט איר זיך ארויס?
ניט רייסט ארויס זיך, ווייטאָקן! וואַקסט, וואַקסט אין מיר און שווײַגט,
שווײַגט ווײַל איר טוט מיר ווײ אזוי, אָ ווייטאָקן איר מײַנע, ווײַל איר זענט גרויס!

ג.
ווײַל איר גראָבט אין מיר און עקבערט אין מיר בלינד מיט אויגן צו
און מיט מײַלער אָפן ווי ווערים אין אַ קבר טיף... אָ ווייטאָקן, אָ שמאַרץ!
טאָ שווײַגט אין מיר, מיט מײַנע אלע די נעהרג׳עטע, ליגט, ליגט אין אייער רו!
ליגט, ווייטאָקן, אין מיר, ווי ווערים אינם כריין, אין אויפגעגעסענעם אין האַרץ.

ד.
אני הגבר, איך בין דער מאַן וואָס האָט זיך צוגעקוקט, וואָס האָט געזען
ווי מען האָט די קינדער מײַנע, מײַנע פרויען, מײַנע יונגע און מײַנע אלטע לייט
אין וועגענער געוואָרפן, ווי שטיינער זיי אריינגעשליידערט דאָרט, ווי שפּען,
און געשלאָגן זיי נאָר אָן רחמנות און גערעדט צו זיי פאַרשייט.

ה.
איך האָב פון פענסטער שויב ארויסגעקוקט, געזען די ש ל ע ג ע ר – גאָט!
איך האָב באַטראַכט די שלעגער און די געשלאָגענע באַטראַכט –
און האָב פאַבראָכן מיט די הענט פאַר שאַנד... אָ, שאַנד און שפּאָט,
מען האָט די יידן, אַך, מיט יידן – מײַנע יידן אומגעבראַכט!

3 O My Pains!

1.

Pains! O my pains... Blessed, you blessed Jews!
So blissfully secure in your ignorance on the other side
of the ocean. Ah, if my pains were able to speak,
they'd poison your life, darken your world.

2.

Torments, you're evermore a depth arisen in me.
What are you drilling for? Do you want to enter me
or go out of me? Don't struggle so, pains. Grow,
grow in silence in me, you're so very ruthless.

3.

You're gnawing at me, eyes closed, mouth open
like worms in a tomb...oh torments, oh sorrows!
Calm down and rest in me with my dead ones,
in my broken heart, like worms in the earth.

4.

Ani Hagvar I'm the man who was present, saw
how they flung my kids, my women, young and
old, into wagons like stones, pieces of wood
pitilessly beaten and covered with insults.

5.

I've looked out the window, seen the batterers,
O God, observed them and their blows and wring
my hands in shame, in shame and ignominy:
they've even used Jews to murder other Jews!

ו.

משומדים און ערב משומדים מיט די שטיוול גלאַנציק אויף די פּיס,
און אין די היטלען מיטן מגן־דוד ווי אַ האַקנקרייץ זיי אויף די קעפּ,
און מיט אַ שפּראַך אַ פרעמדע און פאַרגרייזט אין מויל און גראָב און מיאוס.
האָבן זיי פון וואַינונגען געשלעפּט אונדז, געשליידערט פון די טרעפּ.

ז.

זיי האָבן טירן אויפגעריסן און אריינגעריסן זיך מיט גוואַלד, מיט גוואַלד
אין הייזער יידישע, פאַרמאַכטע, מיט העלצער, אויפגעהויבן אין די הענט –
אויפגעזוכט אונדז און געשלאָגן און צו די וועגענער געטריבן יונג און אַלט,
אין נאָס אריין! געשפּיגן גאָט אין פּנים, דאָס ליכט פון טאָג געשענדט.

ח.

זיי האָבן אונדז ארויסגעשלעפּט פון אונטער בעט, פון שאַנק אונדז און געפלוכט:
"דער וואָגן וואַרט! צו אלדי שווארצע יאָר, צום אומשלאַק אייך, צום טויט!"
זיי האָבן אלע אונדז פון שטוב ארויסגעשלעפּט און אלץ נאָך דאָרט ארומגעזוכט –
דאָס לעצטע קלייד פון שאַנק, דאָס לעצטע ביסל קאַשע, דעם לעצטן פּעניץ ברויט.

ט.

און אויפן גאַס – מען קען משוגע ווערן! אויפן גאַס – קוק צו זיך און ווער דול!
די גאַס איז אויסגעשטאָרבן און איז איין גרויס געפילדער, איין געשריי –
די גאַס – ווייט, ווייט ארויף און ווייט אראָפּ איז ליידיק און – די גאַס איז פול,
וועגענער מיט יידן! קוק אויף די וועגענער – אויף וועגענער איז אָך און וויי, איז א געשריי...

י.

וועגענער מיט יידן! מען פאַרברעכט די הענט, מען רייסט פון זיך די האָר –
און מאַנכע שווייגן – די שווייגנדיקע, אָך! זיי שרייען העכער נאָך!
זיי קוקן צו זיך... ס'בלויזע קוקן זייער'ס... איז'ס אַ חלום שלעכט? צי איז עס וואָר?
און באַשטיוולטע, באַהיטלטע פּאָליציע יידישע ארום די וועגן – וויי, אַ בראָך!

יא.

דער דייטש שטייט אין אַ זייט און ווי ער וואָלט קוים קוים צו זיך געלאַכט –
דער דייטש שטייט פון דער ווייטנס, דער דייטש – ער מישט זיך נישט אריין,
וויי מיר, וויי מיר, דער דייטש! ער האָט מיט יידן – מיינע יידן אומגעבראַכט!
קוק אָן די וועגענער! קוק אָן די שאַנד, קוק אָן, קוק אָן די פּיין!

6.

Converts and quasi apostates with shining boots,
wearing caps with stars of David like swastikas
and with a strange, coarse, rotten lingo pulled
us from our houses, threw us down the steps.

7.

They broke through the doors, violently burst into
boarded-up Jewish houses, found us, beat us,
pushed us, young and old, toward the wagons,
spit in God's face, profaned the light of day.

8.

Took us from under beds, in closets, cursing:
"The wagon's waiting. Up you go, to hell, to the
station*, to death." Dragged us to the street while
searching for a last dress, kasha, bit of bread.

9.

Look in the street and you'll go crazy! The street's
dead or rather it resonates with cries and shouts.
The street's empty up and down but for wagons full
of Jews, in each one a long lament and outcry.

10.

Wagons full of Jews wringing their hands, tearing at
their hair, some silent ones' shouts are even louder.
They look 'round. Is it a nightmare they're in?
Jewish cops with boots and caps—poor me!

11.

The German stands off to the side as if laughing to
himself; he observes but doesn't intervene. Poor
me,— the German's made Jews kill my Jews.
Look at the wagons, the shame, the agony!

יב.
איך האָב געזען די וועגענער די פולע אין מיין פענסטער... כ'האָב געהערט
די וויינעשרייען ביז צום הימל און די קרעכצן שטיל און שטומערהייד –
אָ, וועגענער פון פיין באלאָדן לעבעדיג און צו דעם טויט געפירט! די פערד
זיי זען' געגאַנגען, און די רעדער אויך, זיי האָבן זיך געדרייט...

יג.
אָ נאַרישע איר פערד, וואָס לאָזט איר הענגען טרויעריק די קעפ?
וואָס דרייט איר אומעטיק זיך רעדער? צי ווייסט איר וואו אַהין
איר פאָרט און וואו אַהין איר פירט אוועק זיי? וואו אַהין איר שלעפט
די אײדעלע, די טעכטער פון מיין פאָלק, מיינע די געראָטענע די זין!

יד.
אַך ווען איר ווייסט – איר וואָלט צעהירזשעט ווילד זיך, זיך געשטעלט
אויף די הינטערשטע. די פיס און די פיס די אויבערשטע ווי הענט
ווי מענטשליכע פאַרבראָכן אין פאַרצווייפלונג פאַר דער גאַנצער וועלט,
און די רעדער, רונדיקע – זיי וואָלטן דרייען זיך ניט מער געקענט...

טו.
זיי ווייסן ניט און פאָרן, זיי פאַרקירעווען פון נאָווּאָליפקי, זעט
אויף זאַמענהאָף, דער וועג צום אומשלאַק אָפּגעצוימט, דאָרט וואַרט
אַ צוג, וואַגאָנען וואַרטן, ליידיקע, זיי פירן אַלע אונדז אוועק, העט, העט –
און קומען מאָרגן ליידיקע אָן ווידער... אָ שרעק אין מיר פאַרשטאַרט!

22.10.1943

12.

From my window I've seen the wagons full,
heard cries of grief rising skyward, silent, muted moans.
O wagons of sorrow full of the living en route to death.
Horses are moving, wheels turning.

13.

O stupid horses, why hang your heads so sadly?
Why, wheels, do you turn so slowly sad? Maybe
you know where you're carrying the noble daughters
of my people, my brilliant sons?

14.

Ah, if you knew, you'd savagely neigh, rear up and
like wringing hands, your legs both front and back
would buckle like legs in despair before all the world
and you wheels would stop turning 'round.

15.

But they don't know. They move on, turning from
Nowolipki Street to Zamenhofa Street going to the station
where the train's waiting to take us away,
return empty tomorrow. My blood's freezing up!

ד. זיי זענען דאָ שוין די וואַנאָנען ווידער!

א שרעק, א מורא אימה'דיק, א פחד גרוים באַפאַלט מיך, נעמט ארום מיך פעסט –
זיי זענען דאָ שוין, די וואַנאָנען ווידער! נעכטן ערשט, פאַרנאַכט – אַוועק –
און היינט – זיי זענען דאָ שוין ווידער, זיי שטייען אויפן אומשלאַק שוין... דו זעסט,
די אָפענע די מיילער? זיי האָבן אויפגעעפנט זיי אַ שרעק!

ב.
זיי ווילן נאָך! זיי ווילן ווידער שוין, זיי ווערן גאָר נישט זאַט,
זיי שטייען שוין און וואַרטן – יידן! ווען ברענגט מען זיי אַהער?
הונגעריקע – ווי זיי וואָלטן נאָך קיין ייד אין מויל אין זייערן געהאַט...
געהאַט! און אז געהאַט איז וואָס? זיי ווילן מערער נאָך, זיי ווילן מער!

ג.
זיי ווילן נאָך, זיי שטייען שוין און וואַרטן ווי געגרייט א טיש,
און גרייט צום עסן – יידן! אהער זיי, וויפל ס'וועט אריין!
יידן! ס'אַלטע פאָלק מיט קינדער יונגינקע, יונג אזוי און פריש,
יונגע טרייבן פון אַן אלטן צווייג, און יידן אלט ווי אלטער, שטאַרקער ווייַן.

ד.
מיר ווילן נאָך, נאָך יידן... וואַנאָנען ווי גזלנים קאַלט און האַרט,
זיי שרייען: נאָך! און מער נאָך! זיי ווייסן ניט פון קיין גענוג,
זיי שטייען שוין און וואַרטן אויפן אומשלאַק... מען וואַרט אויף אונדז, מען וואַרט,
וואַנאָנען המעוואַטע, ברייט געעפנטע א סך, א גאַנצער צוג.

ה.
זיי זענען פול געווען דאָ ערשט, געשטיקט פון יידן זיך דערשטיקט,
יידן טויטע זען' געשטאַנען נעכטן צווישן לעבעדיקע דאָ געפּלעפּט –
טויטע זען' געשטאַנען און פאַלן ניט געקענט אין דעם געדריק,
נאָר ס'איז געווען ניט קאָנטיק ווער פון זיי איז טויט און ווער עס לעבט.

4 They See The Railroad Cars Have Already Returned

1.

Horror and fear assail me, suffocating me—the
railroad cars have already returned that left only
last evening and now are back ready for another
Umschlag; you see with mouth agape in horror.

2.

They're still hungry. Nothing satisfies them.
They're waiting for Jews! When will they be brought?
Famished, as if they'd hadn't already
devoured Jews; but more, they're wanting more.

3.

Not just more, they're waiting to be served an
humungous quantity of us! Here they're going
down into! Old folk, young kids, the youngest fresh
grapes of an older life, old Jews like vintage wine.

4.

We want more, many more, the train-cars shout
like cold, ruthless criminals: More. They've never
enough! They're waiting at the Umschlag station;
cars of the train waiting, waiting for us.

5.

Other Jews have filled the cars suffocatingly,
dead Jews imbedded with the stupefied living,
dead on their feet, not able to fall in that crowd,
dead ones impossible to distinguish from the living.

ו.
בײם טויטן ייִדן האָט זיך לעבעדיק געשאָקלט היין און הער דער קאָפּ,
און פון דעם לעבעדיקן האָט געגאָסן זיך דער טויטער שוויים;
אַ ייִדיש קינד בעט בײַ זײַן טויטער מאַמען: וואַסער! גיב וואַסער מיר אַ טראָפּ!
ער שלאָגט איר מיט די הענטעלעך אין פּנים: לאָז! עס איז מיר הייס!

ז.
און נאָך אַ קינד, אַ קלײנינקס אויף זײַן טויטנס פאָטערס הענט –
יאָ, קינדער, כאָטש פאַרחלשט׳טע, פאַרשמאַכטע – קינדער האַלטן אויס!
דער טאַטע זײַנער, כאָטש אַ גרויסער – האָט ניט אויסהאַלטן געקענט –
ס׳קינד ווייסט ניט, ס׳בעט זיך אַלץ נאָך: קום! קום טאַטע! קום אַרויס!

ח.
און ווייט דאָרט אין וואַנען, אין יענער זייט דאָרט, אין יענעם עק וואַנען
איז עפּעס פאָרגעקומען, האָט וואָס פאַסירט און קיינער ווייס ניט וואָס?
דער עולם אָבער שמייכלט, דער עולם אָבער שטויסט זיך אָן,
ס׳איז עמיצער אַרויסגעשפּרונגען דאָרט... הערט, הערט אַ שאָס!

ט.
ס׳איז ווער אַרויסגעשפּרונגען... און ייִדן שמייכלען, מען ניט פאַרשטומט אַ לאַך,
אָ, ייִדן טײַערע, אָ, ייִדן הייליקע איר מיינע וואָס איר זייט!
וואָס פרייט איר זיך? הערט דער אוקראַאינער – ער שיסט אַראָפּ פון דאַך,
איז וואָס? אַבי ס׳איז ווער אַרויס! אַבי עס האט זיך עמיצער באפרייט!

י.
און אַז אַ קויל איז וואָס? עס ווינטשן אלע זיך דאָ אין וואנאָן אַ קויל –
זי מיידט דאָך קיינעם ניט! בעסער שוין זי טרעפט אונדז פריי אין פעלד,
איידער... וואו? וואו פירט מען אונדז? ווער זאָגט עס ווידוי מיט׳ן פולן מויל?
זאָגט נאָך! זאָגט אלע נאָך – און ס׳וואַרפט פון היטץ אייך אלעמען אין קעלט.

יא.
ליידיקע וואגאָנען! איר זענט ערשט פול געווען, יעצט זענט איר ווידער לער,
וואו האט איר זיי א הינגעטאָן, די ייִדן? וואָס איז מיט זיי געשען?
צענטויזנט אָפּגעציילטע און פאַרחתמ׳עט – ווי קומט איר ווידער דאָ אהער?
אָ, זאָגט, וואגאָנען, מיר, וואגאָנען ליידיקע, זאָגט, וואו זענט איר געווען?

6.

The head of a dead man shakes as if it were alive
and could filter the living sweat of the dead man.
A child begs his dead mother, "Water, a drop water"
with tiny fists beats her head, "I'm thirsty, momma."

7.

Another kid's in the arms of his dead father, yes,
kids, even if weak and prostrate, are resisting. The
father, even if adult, can't do anything. The kid,
not knowing, is imploring, "Daddy, let's go from here."

8.

And on the train, in one of the corners of a car,
something's happening. Anyone know what?
Everyone's smiling and making suppositions:
someone's jumped....Listen, listen, a shot!

9.

Someone's jumped, and all are smiling, laughing
in silence. Oh dear Jews, my holy Jews, why are
you happy? Listen: the Ukrainian's firing from the roof.
But look. Someone's out. Someone's free!

10.

Did he catch a bullet? Would that all would and
no one be saved. Better to die here among trees
than...Where? Where are they taking us? Who'll
recite Viddui*? Repeat it, it'll make you shudder.

11.

Empty cars! You were full, now empty again.
What's been done to the Jews? Where have they
finished? 10 thousand were loaded, now you're here again.
Tell me, train, where you've been?

יב.
איר קומט פון יענער וועלט, איך ווייס, זי מח ניט זיין גאָר ווייט,
ר׳זענט נעכטן ערשט אוועק פון דאנען אָנגעלאָדענע און היינט – איר זענט שוין דאָ!
וואָס איילט איר זיך אזוי וואַנאָנען? וואָס האָט איר ניט אזוי קיין צייט?
איר וועט ווי איך גיך אלט ווערן, ווי איך צעבראָכן, אלט און גראָ.

יג.
פון צוקוקן אליין, פון צחען אלץ, פון צוהערן דאָס אלץ – געוואַלד!
ווי האלט איר׳ס אויס, און כאָטש איר זענט פון אייזן און פון האָלץ!
אָ, אייזן! ביסט אין דר׳ערד געלעגן טיף, אָ אייזן, אייזן קאַלט,
אָ האָלץ, דו ביסט א בוים געוואַקסן אויף דער ערד, אי הויך, אי שטאָלץ!

יד.
און יעצט? איר זענט וואנאָנען, לאַסט־וואגאָנען יעצט, איר קוקט זיך צו,
איר שטומע עדות פון אַ לאַסט אזא און פון אזא אַ פיין און פון אזא א נויט!
איר האָט זיך שטומע און פארמאכטע צוגעקוקט, אָ, זאָגט וואגאָנען, וואו
איר פירט, איר האָט דאָס פאָלק, דאָס יידישע ארויסגעפירט צום טויט?

טו.
איר זענט ניט שולדיק, מען לאָדנט אָן אייך דאָ און מען זאָגט אייך: פאָרט!
מען שיקט אייך אָפּ מיט פולן, מען טרייבט מיט ליידיקן אייך צריק אהער –
וואגאָנען איר, איר קומט פון יענער וועלט, אָ זאָגט מיר, זאָגט א וואָרט,
ניט רעדער זיך אַ דריי, דערציילט, און איך, איך לאָז די טרער...

26.10.1943

12.

You return from the other world. I know it's not far
away. Just yesterday you left packed and today you're back.
Why the rush? Do you have so little
time? Soon you'll be old like me, worn-out, grey.

13.

Just looking, seeing, feeling all this—Gewald!*
What can you do, even if made of iron or wood!
O iron, cold iron, prostrate yourself deep in earth.
O wood, one day you'll be a tree, lofty and proud.

14.

And now? Now you're train-cars and watching,
Mute witnesses of such a burden, such a pain.
In silence you've observed everything. Oh tell me
where you're going to carry the Jews to death?

15.

It's not your fault. They loaded and told you, Go!
They made you leave full and come back empty.
You who return from the other world, tell me,
I beg you, wheels, talk to me and see me weeping.

ה. די זיצונג אין דער קהלה וועגן צען...

דערציילט, דערציילט וואגאָנען, איר זענט געווען די איינציקע אויף דער לויה, איר –
אָ, טויטנ־קאַסטנס איר, איר האָט זיי לעבעדיקערהייט געפירט אין לעצטן וועג,
איר, טויטע איר, איר האָט געפירט די לעבעדיקע צו דער קבורה, ר׳האָט געפירט
אין לעצטן וועג זיי... און עס ענטפערן די טויטנ־קאַסטנס אָפּ: ניט פרעג...

ב.
דערציילט, דערציילט, כאָטש איך ווייס מער פון אייך, איך ווייס פון אָנהייב אָן,
איך האָב געזען דאָך די מודעה, דער קהלה־ראַט אליין, ער האָט די שטראָף
אונטער איר געשריבן... יאָ, מען האָט עס אים געהייסן און ער האָט׳ס געטאָן –
זעקס טויזנט אין אַ טאָג! איך ווייס דעם אָנהייב... איר, איר ווייסט דעם סוף.

ג.
דערציילט, איך ווייס דעם אָנהייב נאָר... דער אָנהייב איז ניט אלץ, איך וויל
איר זאָלט דערציילן מיר דעם סוף, דערציילט... צי שטערט אייך מיין געוויין?
דערציילט דעם סוף מיר, איר דערציילט און איך וועל הערן און וועל וויינען שטיל,
דערציילט, איך בין א פעלז געשלאָגן און ס׳גיסט פון מיר זיך, ס׳קאַפּעט פון אַ שטיין.

ד.
דערציילט, דערציילט! אַ ניט וועל איך דערציילן... יאָ, איך אליין דערצייל
און איך, איך וויין אליין... באַוויינט, אָ אויגן מיינע, וואָס איר האָט געזען,
אָ טרומנעס, טרומנעס שטום, ס׳איז דאָ וואָס צו דערציילן אין דעם לעצטן טייל,
צי ווייסט איר ווי פון יידן, זעקס טויזנט אין א טאָג ז׳געוואָרן צען?

ה.
איר האָט דאָך עהערנעכטן זעקס אוועקגעפירט! זעקס טויזנט יידן נאָר,
געפירט, אוועקגעפירט צום טויט זיי, אלע זיי, וואָס עפּעס נעכטן מער?
צענטויזנט! גאנצע צען! עס זאָל פון זיי ניט פעלן חס ושלום ניט קיין האָר!
און באַלד אויפמאָרגן, נאָך די ערשטע זעקס, א שפּרונג אזא – הערט, הערט:

5 The Jewish Council On The Question Of The Ten Thousand

1.

Speak, train-cars, you that were funeral-present,
o coffins, you that've accompanied the living on their final road, and
you dead that've led the living to their tombs...
But the coffins respond: Don't ask.

2.

Tell, though I don't know more of you, I know how it all began,
I've seen the Jewish Council sign
the sentences; they were ordered and obeyed—
6,000 a day! I know the beginning, you the end.

3.

Speak! I know the beginning isn't all. I'd like you to tell me the end...
Or would my weeping disturb?
Speak to me of the end. I'll listen and weep in
silence, a beaten stone tears are gushing from.

4.

Speak, because I won't, I'll tell it to myself alone
and weep alone. O cry, eyes, over what you've
seen; O mute cars, tell me how it was, in the end,
that 6,000 Jews a day turned into 10,000?

5.

Didn't you carry off 6,00 the other yesterday? And
then wanted still more? 10,000 and not one less!
And not a single hair from them would be left and,
next morning, from the first 6,000—what increase!

ו.

מען האָט אַרייַנגעריסן זיך ווי חיות ווילד אין קהלה־הויז, צום ״עלטסטן ייד״,
צו טשערניאַקאָוו, צום פּרעזעס פון דער קהלה, און געזאָגט צו אים אַזוי:
מיר ווילן ניט קיין זעקס! זעקס טויזנט יידן ווילן מיר שוין ניט,
מיר ווילן צען! צען! צען! אַזוי האָט מען געזאָגט אים: קורץ און שאַרף און רוי.

ז.

און היינט נאָך זאָל אַרויסגעהאָנגען ווערן צו די יידן אַלע אָן אַפּיש:
צען טויזנט איך, מאָרגן נעמט מען צען שוין אַ י י ע ר ע! – און מען איז אוועק.
דער פּרעזעס פאַלט אַ בלאַסער אין זיין טיפן שטול, ביים גרינעם טיש...
דו שרייבסטו? וועסט אונטערשרייבן צען? מיט וויפל זענען מערער צען פון זעקס?

ח.

טשערניאַקאָוו? אינזשיניער טשערניאַקאָוו? אַדאַמיע? הער, דו הערסט?
און צען? ס'איז טאַקי מער... יאָ... הער נאָר, הער אַדאַמיע... וואָס?! וואָס פאַלט דיר איין? דו
מיינסט

עס אויף אָן אמת? האָ? דיין סעקרעטאַרקע איז'ס... זי ווייס ניט וואָס דו קלערסט,
וואָס שיקסטו זי אַרויס, אַדאַמיע? אָך דו ווייסט, דו ווייסט, דו ווייסט...

ט.

וואָס ווייסטו? אָ, דו ביסט נאָך אַלעמען אַ וואווילער מענטש... נאָר צווישן אונדז גערעדט
אַ קנאַפּער ייד... עס גייט דיר דען אין צען? אויף זעקס, האָ, גייסטו איין?
ביסט עפּעס בייז – אויף ווער מען, זאָגן? אַהאַ, אויף זיך... דאָס קלאַפּסטו זיך על־חטא,
סם'סט זיך... ער, מאַך'ס גיכער, גיך... באַלד קומט דער גאַנצער קהלה־ראַט אַריין!

י.

דו ביסט אַ קנאַפּער ייד, אַדאַמיע, דו סם'סט זיך נאָר, דו הרג'עסט זיך אַליין?
אַ יידן הרג'עט מען... אָך, אויף געהרג'עט ווערן פאָדערט זיך אַ גרעסערע אַ קראַפּט...
נאָר נאַרניט... נאַרניט... טרינקסט? דו וואַשט, אַדאַמיע, זיך, דו וואַשט זיך ריין?
דיין לעבן, יאָ, דיין לעבן – ערב שמד... דיין שטאַרבן האָט אַ גרעסערן אַ האַפט.

יא.

וואָס קומט אַרויס? דו ניט, דו טאַקי – ניט, נאָר ער, דער קהלה־ראַט, דער ראַט –
ער וועט דאָך איינגיין... ס'וועגדט זיך דען אין אים? עס איז דאָך נאָר פראָ פאָרם...
זיי ווילן צען... ניי מאַך! די זעלבע ספקות נעבעך וואָס דו, אַדאַמיע, האָסט געהאַט
ביי זעקס... ניי מאַך... עס טאָטשעט זיי, עס עסט זיי נעבעך טיף דער זעלבער וואָרם...

6.

How the beasts entered the Community house of
"old Jews" and told its Leader, Czerniakow:
"6,000 isn't enough. We don't want just 6,000
Jews. We want 10,000." A firm, dry, violent order.

7.

"And from this day of proclamation-made-public,
tomorrow 10,000 Jews will be chosen."
The Leader turned pale at his green table . . .
Will you sign it? For 10,000 Jews instead of 6,000?

8.

Czerniakow, engineer Czerniakow, Adam, listen,
will you obey? Give 10,000? That's really much
more. Listen, Adam. Why are you sending your
secretary outside. Ah, you're crying, weeping.

9.

Why weep? After all, you're a brave man.
Told us you don't feel so Jewish. Is that why ten
when six you agreed to? You're a bit angry; who with?
Ah, yourself. Rushing before the Council's arrived.

10.

You're an almost Jew, Adam. Want to poison your
self? Suicide? A Jew kills himself but asks for
a greater power. Drinking? Washing yourself clean?
On living baptism eve, your dying's more coherent.

11.

So who's served? Certainly not you. Councilmen'll
announce it. Will it touch them? It's just a formality.
They want 10,000. The same doubts you had,
poor Adam, with 6,000. Soon they'll torment you.

יב.
אדאמיע... טס... ר'איז טויט שוין, דער פרעזעס זיצט א טויטער אין זיין שטול און וואַרט,
די אויגן צו אין אָפענעם געזיכט, דער קאָפּ פאַרוואָרפן – זיצט ער אויבן־אָן –
דער ראַט קומט אָן, קלאַפּט אָן – וואָס האָט ער זיך, דער פרעזעס, דאָרט פאַרשפּאַרט?
ער האָט דעם ראַט צונויפגערופן א אייליקע א זיצונג... קלאַפּט! קלאַפּט אָן!

יג.
עס האָט זיך זיי געדאכט אז עמיץ זאָגט פון אינעווייניק זיי: אריין!
עס האָט זיך זיי געדאכט נאָר... יאָ, דער פרעזעס זיצט א טויטער אויף זיין שטול –
פרעזעשיע? דו? דו האָסט דאָך אונדז גערופן? א זיצונג דאַרף דאָך זיין!
מיר זענען דאָ... מיר האָבן צונעשטעלט זיך אלע, דער קאָמפּלעט איז פול!

יד.
און יעצט? וואָס יעצט? טעלעפאָנירן – ניין... זיי וועלן זיין אין כעס...
זיי וועלן... זאָגט ניט, נאָר נישט! ר'לעבט, כאָטש טויט... וואָס יעצט?
יעצט אָפּהאַלטן די זיצונג – צען! יאָ צען!... שטיל, שווייגענדיק און בלאַס
האָט זיך דער קהלה־ראַט געזעצט ארום דעם גרינעם טיש... זיי האָבן זיך געזעצט –

טו.
דער פרעזעס אויבן אָן, און שפּעטער זיי, די מיטגלידער פון גאנצן ראַט,
עס האָבן אויפגעשטעלט די האָר זיך אויפן קאָפּ, דאס בלוט האָט אין די אָדערן געפרירט, –
ס'נעמט עמיצער דאָס וואָרט – די צונג אין מויל האט אים געציטערט ווי א בלאַט,
אלע הערן אוים... דער טויטער פרעזעס פירט די זיצונג, – ווי ער וואָלט געפירט.

29.10.1943

12.

Adam, shh, he's dead, sitting in his seat, waiting,
eyes closed, head bent at the head of the table.
Councilmen are knocking at the door. Why's the
Leader locked in? No crisis is due. Knock-knock.

13.

They think someone said, "Come in!" but if it was
just imagined? Yes, he's sitting dead in his seat.
Dear Leader, perhaps you didn't call us? And the
Council? We're here. We've all come. All together.

14.

Now what to do? Telephone? No, they'll be furious.
Capable of...Say nothing, let's pretend he's alive.
And then? We'll hold Council. 10,000, yes 10,000.
Mute, pallid Councilmen sitting around the table.

15.
Leader at the head, and then all Councilmen,
with straight hair and blood frozen in their veins.
One says a word, tongues tremble in mouths,
leaves in the wind. All listen. Adam presides as if alive.

ו. די ערשטע

און ס'איז אַוועק אַ גאַנג: צו צען אַ טאָג, צען טויזנט יידן אין איין טאָג, דאָס האָט
ניט לאַנג געדויערט, אָ, ניט לאַנג, מען האָט גענומען באַלד צו פופצן טויזנט זיי –
די שטאָט מיט יידן – וואַרשאָ! די אַרומגעצוימטע, די אַרומגעמויערטע די שטאָט
איז פאַר די אויגן איינגעגאַנגען מיר, איז אויסגעגאַנגען, צעגאַנגען ווי אַ שניי.

ב.
וואַרשאָ! די אַלט יידישע, די פולע ווי אַ שול יום־כיפור, ווי אַ מאַרק אויף אַ יאַריד,
יידן וואַרשאָווער, יידן האַנדלדיקע אויפן מאַרק, יידן דאַוונענדיקע אין די שול –
אַזוי אומעטיק און אַזוי פריילעך – אָ, פּרנסה־זוכנדיקער און גאָט־זוכנדיקער ייד!
וואַרשאָ די פאַרמויערטע אַרום, די אָפּגעשלאָסענע – איז געווען מיט דיר ערשט פול!

ג.
יעצט ביסטו לער! יעצט ביסטו ליידיק! יעצט ביסטו אויסגעליידיקט גאַנץ און לער!
יעצט ביסטו אַ בית־עולם, אַ בית־הקברות וויסט, און וויסטער נאָך, דו ביסט
גאַסן אויסגעשטאָרבן – און מען זעט קיין מת אפילו זיך ניט וואַלגערן דאָרט מער,
און הייזער אָפענע און קיינער גייט אַרויס ניט, ניט אַריין אין הייזער וויסט.

ד.
די ערשטע אומצופרעגנגען זענען געווען קינדער, יתומים'לעך פאַרלאָזענע, עס הייסט
דאָס בעסטע אויף דער וועלט, דאָס שענסטע וואָס די ערד, די פינסטערע, פאַרמאָגט!
אָ, פון די עלנטסטע יתומים'לעך און קינדערהיימען וואָלט געוואָקסן אונדז אַ טרייסט,
פון די אומעטיקסטע, שטומע פּנים'לעך, די חושך־דיקע, וואָלט געטאָגט אונדז, וואָלט געטאָגט!

ה.
יאָ, יאָ, איך בין סוף־ווינטער צווײ און פערציק אין אַ קינדערהיים אַזאַ געווען
און קינדער, ערשט געבראַכטע פון דער גאַס, געזען, כ'האָב אין אַ ווינקל זיך פאַרוקט –
און האָב אין שויס פון אַן ערציערין אַ קוים צוויי יעריק מיידעלע געזען –
אַ מאָגערינקע, אַ טויט־בלאַסינקע און אויגן ערנסטע, איך האָב געקוקט, געקוקט –

6 The First

1.

So it went on: ten a day, 10,000 Jews a day.
But that didn't last long. Soon it was 15,000 they
wanted from Warsaw, city of Jews, the closed-off,
walled city dissolving before my eyes like snow.

2.

Warsaw! Full of Jews like in a Yom Kippur shul*,
like in an open market, who davend* and dealt,
so sad and so happy, who looked for bread and
looked for God. Walled city full only of the Jews.

3.

Now you're deserted! You've become empty!
You're a cemetery more desolate than necropolis.
Your streets dead but even empty of corpses,
your houses open but no one goes in or out.

4.

The first annihilated are the children, the orphans,
the best, most beautiful in this dark earth for us.
Those little orphans would be our consolation;
from their sad, mute forms would come daylight!

5.

Yes, at the end of winter '42 I was in an orphanage
where so many kids had arrived. I was hidden in a
corner but watched a girl-child about 2, thin, pale,
with big sad eyes, in the lap of the maestra.

ו.

כ׳האָב אָנגעקוקט זי, די צווײ יאָריקע, די אלטעטשקע, די באָבע – הונדערט יאָר
איז דאָס יידישע, דאָס מיידעלע שוין אַלט, דער ערנסט אירער און איר גרויסע פּיין –
דאָס וואָס די באָבע אירע האָט אין חלום ניט געזען האט דאָס מיידעלע געזען, און אויף דער
וואָר,
איך האָב צעווײנט זיך און געזאָגט זיך: וויין ניט, די פּיין פאַרשווינדט און דער ערנסט וועט שוין
זיין!

ז.

דער ערנסט בלייבט, ער ניסט זיך אין דער וועלט אריין, אין לעבן, און פאַרטיפט׳ס,
דער יידישער דער ערנסט, ניכטערט אוים, וועקט אויף, רייסט ברייט אויף אויגן בלינד;
ס׳איז ווי א תּורה פאַר דער וועלט, ווי א נבואה, ווי א הייליקע א שריפט –
וויין ניט, וויין ניט... אַכציק מיליאָן רוצחים פאַר דעם ערנסט פון א יידיש קינד.

ח.

וויין ניט... איך האָב געזען א מיידעלע פון אַ יאָר פינף אין יענעם ״פּ ו נ ק ט״
זי האָט א וויינענדיקן ברודערל, א קלענערן א סך פון איר, א ליידנדן גענערט...
זי האָט פאַרדאַרטע שטיקלעך ברויט אין א מאַרמאָלאַד א שיטערן געטונקט
און קונציק אים אין מיילעכל אריינגעשמוגלט... מיר איז געווען באַשערט

ט.

צו זען עס, זען דער מאמען, זען דער מאַמען דער פינפיעריקער ווי זי שפּייזט אים, אירע רייד
צו אים געהערט. מיין מאמע, איינע אין דער וועלט, איז ניט ערפינדעריש אזוי געווען!
זי האָט א טרער אים אָפּגעווישט מיט א געלעכטער, אריינגערעדט אין אים אַ פרייד,
ס׳יידיש מיידעלע! שלום־עליכם האט עס בעסער ניט געקענט. איך האָב׳ס געזען!

י.

איך האָב געזען דעם גרויסן עלנט דאָרט, אין קינדערהיים אין יענעם, כ׳בין אריין
אין צווייטן זאַל – דאָרט אויך, דאָרט אויך – עס האָט געיאָגט א ביטערע אַ קעלט.
פון ווייטן האָט אַן אויוון אויף א בלעך געוואָרפן אויף א הייפל קינדער העל א שיין,
עס האָבן קינדערלעך האַלב־נאַקעטע ביים קאָקס, ביים גליענדיקן זיך ארומגעשטעלט.

6.

I watched that girl, who looked like a grandmother
a hundred years old, so serious and in such pain,
her own grandmother never could have imagined.
Then I wept. Sorrow will pass. Sadness remain.

7.

Sadness remains, penetrates life, leaves a deep trace.
Jewish sadness is reflected, wakens, opens eyes like
the Torah for the world, a prophecy. Don't cry.
80 million assassins for one girl's sadness.

8.

Don't cry. In that place I've seen a 5 year-old girl
dip a little piece of dry bread into a watery jam
and cleverly insert it into the mouth of her little
brother in tears. I've had the good fortune.

9.

of seeing that little momma nourish her kid and
hear her words. My extraordinary mother wasn't
so brave. Smiling, she wipes a tear, her words fill
him with a joy not even Sholem Aleichem could.

10.

I've seen the vast desolation of the orphanage,
went into another room and the cold was awful.
A tin stove sent a bit of light to a group of the
half-naked kids bunched around the hot coals.

יא.
עס האָט געגליט דער קאָקס. דער האָט א פּיסעלע, דער א געפּרוירן הענטעלע ארויס געשטעקט
דער א נאַקעטע א פלייצקע, און איינער א שוואַר־קראָויניק, א בלאס יינגעלע, נאָך נאָר אַ יונגס,
ער האָט דערציילט א מעשה׳לע. ניין, ניט א מעשה׳לע! ער האָט געברויזט, ער איז געווען
אויפגערעגט –
ישעיה! דו, אָ דו, האָסט ניט געפלאַמט ווי ער, האָסט ניט געהאט אזא א יידישע א צונג.

יב.
ער האָט גערעדט א יידיש געמישט מיט לשון־קודש. ניין! ס׳איז לשון־קודש בלויז!
האָרך, האָרך, קוק אָן די יידישע, די אויגן זיינע, און דעם שטערן און ווי ער הויבט
דעם קאָפּ אויף... ישעיה! ביסט ניט קליין געווען ווי ער און נישט געווען אזוי גרויס,
ביסט ניט געווען גוט אזוי, ניט אמת׳דיק אזוי, און האָסט, ישעיה, ניט אזוי געגלויבט!...

יג.
און ניט אזוי דאָס יינגעלע אין יענעם קינדער־פּונקט, דאָס יינגעלע וואָס האָט אזוי גערעדט,
נאָר זיינע שוועסטערלעך און ברידערלעך וואָס האָבן אים מיט מיילעכלעך מיט אָפענע
געהערט –
אָ ניין, איר לענדער אלע, אייראָפּאַ׳ס אלטע און נייאויפגעבויטע גרויסע שטעט,
אזוינס האָט דאָך די וועלט נאָך ניט געזען, ניט געהאט אזעלכע האט די ערד.

יד.
זיי זענ׳ געווען די ערשטע אומצוקומען, די יידישע די קינדער, אלע זיי, דאָס רוב
אָן טאטע־מאמע. קינדער אויפגעגעסענע פון קעלט, פון הונגער און פון לייז,
משיחים הייליקע, געהייליקטע אין ליידן... אָ, זאָגט, פאַרוואָס די שטראָף?
פאַרוואָס אין אומקום־טעג די ערשטע צאָלן אים, דעם בייז, דעם העכסטן פּרייז?

טו.
זיי זענ׳ געווען די ערשטע, די גענומענע צום טויט, די ערשטע אויף דער פור,
מען האט געוואָרפן אין די וועגענער די גרויסע זיי, ווי הויפנס מיסט, ווי מיסט –
און אוועקגעפירט זיי, אויסגעהרג׳עט זיי, פאַרניכטעט זיי, ס׳איז קיין שפור
פון זיי, פון מיינע בעסטע, ניט געבליבן מער! אַך ווי איז מיר און ווינד איז מיר און וויסט!

2-4.11.1943

11.

They tried to keep their little feet, frozen hands
and shoulders warm. And a pale boy with black
eyes told a story. No, not a story. A blazing rage.
Isaiah, not even you could catch fire so eloquently.

12.

He spoke Yiddish mixed with Hebrew and Aramaic
but not only them. Listen and look at those Jewish eyes
front-up and how their heads rise. Isaiah,
you weren't so small nor so grand, good, true, faithful.

13.

And it wasn't just that boy who spoke in the shelter
but the sisters and brothers who heard him open-mouthed.
O nations, oh old and new European
cities, the world's never seen the likes of this!

14.

They were the first to die, those Jewish kids, poor
orphans gnawed by the cold, hunger and lice, so
many holy messiahs sanctified by suffering. But
why are they the first to pay evil the highest price?

15.

The first carried to death, first to enter the train,
thrown in there like little piles of shit, and then away
to be exterminated without a trace.
Of the grandest good, nothing remains. O poor, poor me!

ז. צו שפּעט

ווײ מיר, איך האָבֿ געוואוסט און מײַנע שכנים אויך און יעדער אײנער ייִד,
אַלע מיר פֿון גרויס בּיז קלײן, פֿון אַלט בּיז יונג – מיר האָבּן עס געוואוסט,
און ניט אַרויסגערעדט פֿון מויל עס... שאַ! מיר האָבּן זיך פֿאַר זיך אַלײן געהיט,
מיר האָבּן עס פֿאַרשרינגן אין געדאַנק אין אונדזערן, פֿאַרשטיקט אין אונדזער בּרוסט.

ב.
אײדער נאָך עס האָבּן אויסוואורפֿן פֿאַרשפּאַרט אונדז אַלע אין די געטאָס ענג,
פֿאַר כּעלמנאָ נאָך, פֿאַר בּעלזשיץ, פֿאַר פּאָנאַרי נאָך, פֿאַר אונדזער ענד,
בּאַלד אָנהײבּ קריג, בּאַגעגנדיק אַ פֿרײַנד אין גאַס, פֿלעגן מיר, ווי איך געדענק,
אַראָפּלאָזן די אויגן אונדזערע און פֿעסטער, פֿעסטער זיך געדריקט די הענט.

ג.
ניט די ליפּן און די אויגן ניט, קײן וואָרט... די אויגן האָבּן זיך געשראָקן אויך
אַ הויכן קוק טאָן... בּליקן גיבּן אויס ווי ווערטער קלאָרע וואָס מען אַנט...
די העהט! די שטומע הענט – זײ האָבּן ניט געשראָקן זיך צו רײדן הויך –
תּקל, תּקל... ווי ווערטער ניט געזען און אויפֿגעשריבּן אויף דער וואַנט...

ד.
אָ, ניט נאָר מיר, די הענט! די הענט אין יעדער שטובּ און יעדער שטײן פֿון גאַס
האָבּן עס געוואוסט ווי מיר, ווי מיר... אָ ווער? ווער האָט עס זײ געזאָגט?
עס האָבּן ניט אומזיסט אונדז אָנגעקוקט די הענט אומהײמליך שטום און בּלאַס,
און ס'האָבּן שטײנער ניט אומזיסט געקוקט אויף אונדז פֿאַרשווײגן און פֿאַרצאָגט...

ה.
אַלע מיר, מיר האָבּן עס געוואוסט, פֿיש אין וואַסער און פֿויגל אויפֿן דאַך,
די גוײם אַרום אונדז: מען הרג'עט אויס אונדז! מען הרג'עט אַלע אונדז דאָ אויס!
און אָן אַ שום פֿאַרוואָס? און טו און מאַך! ס'איז אַ בּאַשטימטע, אַ בּאַשלאָסענע אַ זאַך:
אים אומבּרענגען, דאָס ייִדישע דאָס פֿאָלק, פֿאַרניכטן אים פֿון קלײן בּיז גרויס.

7 Too Late

1.

Veyismir, I knew it and so did my neighbors;
all Jews, big and small, old and young, knew it too,
and not a word from our lips. Shh. We looked at
ourselves, then hid the truth, buried it in our heart.

2.

Yet even before we'd been shut up in ghettoes,
before Chelmo, Belzec and Ponary, before our end,
before war broke out I remember meeting a
friend on the street, our handshake more intense.

3.

Our lips didn't move. No words. Eyes full of fright.
Looks up above can reveal what's frightening.
Hands, mute hands can fearlessly speak out loud:
tekl tekl* like invisible words written on a wall.

4.

Oh, not just us! The walls in every house, stones
on every street knew it like we do. Who told them?
Not for nothing have the sinister, mute, pale walls
and taciturn, desperate stones been watching us.

5.

All knew it: fish in the waters, birds on rooftops.
And the Gentiles around us, who'll exterminate us
all without reason.There's nothing to do. By now
it's decided to annihilate all Jews, little and big.

ו.
ווי נאָר ס'האָט אויסגעבראָכן טעמפּ און מערדעריש ווי היטלער, היטלערס קריג,
ווי נאָר עס האָט אריינגעריסן זיך אין פּוילן די באַרבאַרישע, די דייטשישע האָרד,
האָט דאָס יידישע דאָס פאָלק פאַרלאָזן זיינע שטעט און שטעטלעך – אַ קינד אין וויג
איז ניט געבליבן, ניט געבליבן זענען אלטגעזעסענע אויף זייער אָרט.

ז.
מען איז געלאָפן, וואו? אַ פרעגט ניט קיינעם: וואוהין? וואו לויפט איר, וואו?
און פרעגט ניט, קיינעם ניט: פאַרוואָס? וואָרום דיר, דו ווייסט עס ניט... ניט פרעג!
און גיב קיין עצה ניט, ניט קיינעם, רייד ניט קיינעם אָפּ און רייד נישט צו...
צי בלייבן אין זיין ווארימער זיין היים, צי לאָזן זיך מיט אלעמען אין וועג...

ח.
אין דער היים... זיי רייסן זיך אריין אין היימען יידישע און טוען דאָרטן אָפּ –
מען זאָל'ס ניט זען, ניט הערן – מען טויט, און ערגער נאָך: מען פאַרשלעפּט! יאָ, מען
פאַרשלעפּט,
און אויף די וועגן – פול און ענג, זע, זע: די מעסערשמיטן – ווי נידעריק זיי לאָזן זיך אַראָפּ!
דו זעסט די העלדישע, די פליער, די קוילנוואַרפערס איבער יידן'ס אויסגעדאַרטע קעפּ.

ט.
ראָט נישט קיינעם גאָרנישט, דיין גאָנטסטן ניט, דיין נאָענטסטער – ער האָט
פאַרצווייפלט אָנגעשטעלט אויף דיר די אויגן תחנונים'דיק, אַ קנעכט, וו'אַ קנעכט
בעט ער רחמים זיך: וואָס טוט מען? אַך, ווען דו וואָלסט געווען אפילו גאָט –
זאָג אים גאָר נישט! גאָר נישט!... וואָס דו ועסט אים זאָגן וועט זיין שלעכט!

י.
אלע וועגן, אלע טראַקטן און שאָסעען האָבן זיך געבראָכן פון דער לאַסט
דער יידישער... אַ לאַסט אָן זעק אויף פּלייצעס, אָן רענצלעך אין דער האַנט...
מען איז געלאָפן שווער באַלאָדן מיט אַ שרעק, אין אייליגקייט געלאָפן און אין האַסט,
און אָן אַ האָפנונג... אַך, אַן אַנדער לאַנד! ווי כאַפּט מען זיך אריין דאָ אין אַן אַנדער לאַנד!

6.

From the time murderous Hitler's war broke out,
and his barbarous order to enter Poland was given
Jews have left their cities and villages. Not a baby
in a cradle's remained. No one forever living there.

7.

All fleeing, whereto? Don't ask anyone on the run.
Or why. Lucky you who don't know! Don't ask!
And don't give anyone advice. Don't talk to anyone
but stay in your warm house, leave us on our way.

8.

They bust into Jewish homes to do their dirty work.
Better you don't see or hear them kill, even worse drag away,
but look! on crowded narrow streets a diving
Messerschmitt's firing at ducking heads.

9.

Say nothing to anyone, not neighbor or parent who
desperately beg you with slave-eyes, asking pity.
What to do? Even if you were God, say nothing,
nothing. Everything that can be said isn't good.

10.

All roads, streets and highways are broken under
the weight of the Jews. Without shoulder-bags or
bundles in hand, running in terror shouting with
one hope: if they could only enter another country!

יא.
צו שפּעט! צו שפּעט, נאָך עהערנעכטן, נעכטן נאָך, היינט פרי האָט מען געקאָנט
מיט אַן אויטאָבוס, א צוג, א שלעפּצוג... און צו א גרעניץ ערגעץ־וואו –
יעצט איז שוין שפּעט... וואָס יעצט? די פּיס ווי אָפּגענומען און די העהט, – ס'פּאַלן אָפּ די
העהט –

צו שפּעט! יעצט זענען אלע אויסגענג שוין פארמאכט און אלע טירן צו...

יב.
אין ראַדיאָ האָט גערעדט א דייטש אויף פּויליש: "שוין! מיר גייען שוין! מיר קומען אָן!
מיר מאַרשירן שוין אריין. זאָל קיינער זיך פאר אונדז ניט שרעקן, קיינער ניט!
מיר ועלן דער ציווילער, דער באַפעלקערונג, דער רוהיקער קיין שלעכטס נישט טאָן,
דער יידן!" – האָט ער אין ראַדיאָ זיך צעשריען הויך! – "זאָל שרעקן זיך דער ייד!"

יג.
עס איז געווען מיטוואָך, דער מורא'דיקער מיטוואָך, אזיינער צווי בײנאַכט –
און יידן האָבן זיך פארצווייפלט אוועקגעלאָזט אויף וועגן איבער פּוילן... די אַהין,
און יענע דאָרטן אהער... אָ, גאָט, מען גייט דאָך זיכערער און פרייער אין אַ שלאַכט,
נעמען זיך דאָס לעבן אויף דער מיאוסער דער ערד דאָ האָט מערער שוין אַ זין!

יד.
מען איז געלאָפן פון בענדין קיין טשענסטאָכאָוו, קאַלישער קיין לאָדז און לאָדז האָט זיך
געלאָזט
קיין ווארשאָ, ווארשאָווער – זיי אויך, זיי זענען אויך אין שרעק אוועק, פארלאָזן זייער היים,
יידן פון דער פרעמד האָט אין היימען יידישע פארוואָרלאָזט ארומגענומען פרעמד א פראָסט,
און די שרעק, די שרעק פון וועלכער מ'איז אנטלאָפן באפאלט פון יעדן ווינקל זיי געהיים.

טו.
דאָס גאנצע פאָלק, דאָס יידישע, די ד אָ א י ק ע, די מאַסן פונם בונד,
די בלומרשט פרומע, די אגודה'ניקעס, די ציוניסטן, די וואָס האָבן שיין גערעדט –
לומפּנהענדלער – אלע האָבן פלוצלונג אויפגעכאַפּט זיך – ס'האָט געפּלאַצט די וואונד!
קיין ארץ־ישראל, ראטעווען זיך... ראטעוועט! נאָר ס'איז געווען צו שפּעט.

7-12.11.1943

11.

Too late! Yet yesterday one could take bus, train
or sleeper, reach the frontier. Now's too late. What
can one do? Feet and hands are broken. Too late!
By now all ways out are blocked. all ports closed.

12.

On radio a German says in Polish: "We're arriving!
No one need be afraid of us, no one! We don't
intend to do any evil to the tranquil civil population
but Jews (he add shrieking) should be afraid."

13.

It was the Wednesday of horror at 2 a.m when the
desperate Jews were thrown to streets of Poland.
O Lord, it's safer, freer if one goes to war, or more
sensible to take one's life on this miserable earth.

14.

They ran to Bedzin, Czestochowa, Kalisher, Lodz, from
there to Warsaw, but even there Jews were
abandoning their homes and a desolate freezing
cold welcomed them with terror on every corner.

15.

All the Jews, anti-zionists, Bundists, the Pious and Orthodox,
the Zionists, those who pass judgment,
the lumpen all suddenly awake. The wound grown.
Let's to Israel and save ourselves. But it's too late.

ח. איין חרובע, איין אומגעבראכטע היים

צו שפּעט פאַרמאַכט די וועגן אַלע, און אַלע גרענעצן און דורכגענג אויף אַ שלאָס,
די ערד האָט זיך פאַרשלאָסן אין דער נידער דאָ פאַר אונדז ווי דער הימל דאָרטן אין דער הויך,
מען איז אין אַנגסטן גרויס דערגאַנגען ביז לובלין און ווייטער נאָך... יעצונדער – וואָס?
דער טויט – ער איז פאַרלאָפן אונדז דעם וועג, מיט בלוט, מיט פייער און מיט רויך.

ב.
מען איז געלאָפן און נעבעך ניט דערלאָפן... אַך, די דערלאָפענע מיט גליק,
די אָנגעקומענע מיט פיס געשוואָלן און אין וואונדן, כלומרשט צו אַ ציל –
זיי קוקן פינסטער און פאַרצווייפלט זיך ארום, און ווילן צריק, צוריק!
צוריק אהיים! יאָ, מיר פאַרקירעווען צוריק אהיים – זאָל זיין שוין וואָס עס וויל!

ג.
מען האָט פאַרקירעוועט צוריק... אָ, ווענן טרויעריקע צריק, אָ, גאָט!
דערזעלבער גיהנם, אך ווי גייענדיק אהער, דער זעלבער שוידער, די זעלביקע געפאַר –
נאָר וואָס? אַ היים! אויב אומקומען איז אין דער אייגענער דער שטאָט,
און אין מיין גאַס, אין שטוב אין מיינער, אין מיין בעט... אהיים! אהיים אין צער.

ד.
מען האָט געלאָזן זיך צוריק... דער, נעבעך, איז דערגאַנגען... דער צווייטער, נעבעך, ניט...
יעדערער פון זיי – צי אויפן וועג, צי אין דער היים שוין – האָט געענדיקט שלעכט!
אַ מענטש, צי אויפן וועג דערהרג'עט, צי אויף אַ בוים אין וואַלד געהאָנגען – איז אַ ייד!
און אַן אהיים געקומענער אַ ייד – ווייס פון קיין היים ניט, ניט אין טעג דאָרט, ניט אין נעכט.

ה.
ער טאָר ניט ווייזן זיך... אין שטוב ניט, ניט אין הויז, אין גאַס ניט וואו ער וואוינט,
מען האָט אים שוין געזוכט, אַ דייטש, אַ פּאָליאַק נעכטן און שוין אַ פאָלקסדייטש היינט...
"דו דאָ? ביזט ניט אוועק! איך האָב געמיינט, דו האָסט געראַטעוועט זיך..." רופט אויס דערשטוינט
אין אַ הינטערגאַס אַ צופעליק געטראָפענער, דערשראָקן שטאַרק, אַ גוטער פריינט.

8 A Destroyed, Broken Home

1.

Too late, all roads closed, streets blocked, borders
barred. Earth's closed to us, down here as the sky
above. Driven by deep angst we went to Lublin, other places.
Death preceded: blood, fire, smoke.

2.

We ran without aim, ah, with those fortunate to have one,
arriving with feet swollen, bleeding,
looking 'round, desperately wanting to go back,
back home. Yes, return, whatever happens will!

3.

So we went back. O that sad road back, O God!
The same hell, desolation, shudders, dangers,
but we're home! If one must die, better in one's
own city, street, room, bed, at home! In sorrow.

4.

One poor guy arrived back. But a second—no...
All on the way back home had a brutal finish!
A guy killed in the street and hanged is a Jew!
Jews return to no home, both day and night.

5.

One can't be seen, neither in house or on street.
A German yesterday a Pole today a turncoat's
looking for you. "You're here? Didn't flee?
Thought you'd be saved?" said a friend met in an alley.

ו.

די שולן זענען שוין פֿארבּרענט, די ספֿרי־תּורות אויך, די רבּנים שוין פֿארפֿייניקט... דו!
בּיסט אין א שול געווען שוין? דער ארון־קודש שטייט בּיים מזרח־וואנט, דו ווייסט!
און די בּימה איז אין סאַמע מיטן שול. און דער רב ר׳ יאָסעלע... וואו איז ער, וואו?
ער לויפֿט ארום דער בּימה... מיט א שפּיצרוט גראָב א דייטש צעווישן דייטשן, אז ער הייסט...

ז.

דער רב איז אַלט, ר׳איז נידעריק געוואָקסן, דער קאַרק איז אויפֿגעהויבּן הויך, ניט גלייך,
און א שבר אויך, ניט שיין, אַיאָ? ער בּויגט אין דרייען זיך און לויפֿט... אָט, און ער פֿאַלט!
א שפּיצרוט טרעפֿט אין הויקער יעדעם מאָל, דער דייטשער עולם קוקט און קייכט...
הויבּ, רבּי, אויף דײַן ליכטיגן דיין פּנים און פֿארשעם זיי... ניין, בּאהאלט, בּאהאלט

ח.

דיין הייליקן דיין פּנים, רבּי! פֿון דיין פּנים פֿאלט דאָך גרויס א ליכט –
זאָל דיין ליכט אויף זיי ניט פֿאלן, זאָל די זון פֿארשייט מטמא זיין איר שיין,
זאָל דער הימל הויך מחלל־זיין זיין בּלוי און ווייזן זיך פֿאר זייער טרפֿה׳נעם געזיכט!
בּיסט שענער, רבּי, פֿאר דער זון און ערליכער פֿון הימל, זאָלסט ווי זיי ניט זיין!

ט.

שטיי, רבּי, שטיי... דער דייטש ער בּייזערט זיך, ער הייסט דיך בּלייבּן שטיין,
ער הייסט דעם מויל דיר אויפֿרייסן, רייס אויף... דער שמש דארף א שפּיי טון דיר אין מויל,
דער רב האָט אויפֿגעריסן בּרייט אים, דער שמש, נעבּעך פֿלאַצט ארויס אין א געוויין –
ווי קען איך, האַרעלע? ווי קען איך אים, דעם רב, דעם רבּי׳ן אונדזערן? אַזאַ א גרויל!...

י.

״שפּיי אריין, שפּיי גיך אריין אין מויל מיר, דו נארישער, דו שמש וואס דו בּיסט!״
דער שמש פֿאלט דעם אָפּיציר צו זיינע פֿיס: ווי קען איך, האַרעלע? ווי קען איך שפּייען,
ס׳טייטש?
ס׳איז אונדזער רב, ס׳איז יאָסעלע... דער רב שרייט ״שפּיי! ער צילט אין דיר און שיסט!״
דער שמש פֿאָלגט און ווי ער וואָלט א שפּיי געטאָן... דאָ האָט א שטויס געטאָן אים שטארק
דער דייטש

6.

They burned the shuls,Tora scrolls, tortured rabbis to death.
Were you already in the shul?The Holy Ark, the east wall.
Where's RavYossele? Running around the bima,
a German after him with a whip.

7.

The Rav's old, small, hunchbacked, lame, with a hernia,
not pretty. Bent in two, he's falling. Each whiplash on back,
the German panting. O Rebbe, lift your luminous face,
shame them. No...hide!

8.

From your holy face such a light radiates, Rebbe.
It mustn't fall on them. May a profane splendor of sun,
corrupt blue of sky fall on those wicked faces.
O Rav, more beautiful than sun, honest than sky.

9.

Stop, Rebbe, stop.The furious German's ordering
you to stop and open your mouth wide; shames* is
going to spit in it.The rabbi opens it.The shames
bursts out crying: "But how can I do this horror?"

10.

"Come on, spit in my mouth, don't be foolish." The shames
throws himself at the official's feet: "How can I spit?
He's our rabbi, he'sYossele." The Rav shouts, "Spit, don't you see
he'll kill you?" The shames pretends spitting. Nazi whacks him hard.

יא.

"קוק, קוק זיך איין און לערן אוים זיך, שמוציקער דו ייד, קוק ווי אזוי מען שפּייט –"
און ס'האָט דער דייטש אין אָפּענעם אין מויל אין רב ארייננעכראַקעט "שלינג'ס אראָפּ!"
דער רב ער האָט אראָפּגעשלונגען און ס'ווענדט דער דייטש צום שמש זיך און טייט,
טייט אויפן רב "דו זעסט, ער פאָלגט!" דער שמש האָט געכאפּט זיך פארן קאָפּ.

יב.

כאָטש די קויל – זי האָט דעם שמש געטראָפן נאָר אין פוס – "און יעצט? ארויס מיט אייך, ארויס!"
דער שמש כאָטש ער הינקט, ער פירט דעם רב, דעם אלטינקן ארויס פון שול,
קוים וואָס ער גייט דער רב, ער קען נאָר לויפן ארום דער בימה, לויפן אין גאָטס הויז,
ער פירט אים זאַכט און אונטער פייערדיקע שמיץ פון שפּיצרוט... שלאָגן! די מאָס איז נאָך ניט פול!

יג.

זי איז געווען ניט פול אײדער נאָך דער רב איז מיטן שמש זאַכט אהיים געגאנגען – זעט!
א רויך שפּאַרט ביזן הימל, און ס'רייסן פלאמען זיך ארויס פון רויך: וואו ברענט און וואָס!
דאָס ברענט די שול! דער ארון־קודש ברענט! די ספרי־תורות, די יידישע די שטעט!
דער רב – ער קוקט זיך אום, דער שמש האלט אים: אַך, די מאָס... פארפולט האָט זיך די מאָס!

יד.

"אָ זאָג, אנטלאָפענער אין שרעק, פארוואָס אָ, האָסטו אומגעקערט זיך צריק אהער?
דו ביסט אוועק, פארוואָס ביסטו אין אומגליק ניט געבליבן אין דער פרעמד?
דו וואָלסט פארשפּאָרט דיין היים אין פיין אין אירן זען, אין איר געפרובט זיין שווער,
און ווי זי בלוטיקט, ווי זי ווערט פארפייניקט אָן א שום פארוואָס און ווערט אזוי פארשעמט.

טו.

אָ, זאָג פארוואָס, זאָג"... דער צוריקגעקומענער אהיים, גיט אומעטיק און שטום
א שמייכל קוים, וואָס ווערט פארגליווערט אויפן פנים אים ווי אין א ליים –
ער שווייגט א ווײלע נאָך, באלד קוקט ער אום זיך, קוקט אין א שרעק א גרויסע זיך ארום:
איך קום דאָך פון דער היים... אך אומעטום – איין חרוב'ע, איין אומגעבראכטע היים!

16-18.11.1943

11.

"Look and learn, dirty Jew, see how one spits."
The German spits in the rabbi's mouth. "Gulp
It down!" The Rav swallows. The German turns
to the shames, points to the rabbi, "Obey him!"

12.

The German shoots the shames in the foot. "Both
outside now." Limping shames leads old rabbi who can
only run around the bima. Leads him slowly under lashes.
Whack! Their cup's not yet full.

13.

Not yet full before rabbi and shames are home.
Look, smoke going skyward, flames in it, what's burning?
The shul!, Benches! Holy Ark! Torah scrolls!
The rabbi looks back. Their cup's full now.

14.

"Tell me, you whom terror made flee, why return?
Why not remain suffering in a foreign country?
You'd not have seen your house in such pain,
sorrow, so bloody, tortured to death, shame-filled.

15.

Oh tell me why, why?" A light smile on the face—
frozen like stone— of the one who returned to this
mute, sad show, appears. Quiet for a moment, he says,
"I come from a destroyed, broken home."

ט. צו די הימלען

אַזוי האָט זיך עס אָנגעהויבן, באַלד אין אָנהויב... הימלען, זאָגט פֿאַרוואָס? אָ זאָגט פֿאַרוועןְ?
פֿאַרוואָס אָ, קומט עס אונדז אַזוי פֿאַרשעמט צו ווערן אויף דער גרויסער ערד?
די ערד טויב־שטום, האָט ווי פֿאַרמאַכט די אויגן... איר הימלען אָבער, איר האָט דאָך געזען,
איר האָט זיך צוגעקוקט פֿון אין דער הייך, פֿון אויבן, און ניט איבער זיך געקערט!

ב.
ניט פֿאַרוואָלקנט האָט זיך אייער בּיליקע די בלוי און האָט ווי שטענדיק פֿאַלש געשעמערירט,
די זון אין רייטן ווי אַ תּלין גרויזאַם האָט אין שטענדיקן געקוילערט זיך אין קרייז,
די לבֿנה, ווי אַן אַלטע הור, אַ זינדיקע, איז אין די נעכט אַרום אויף איר שפּאַציר,
און שטערן האָבן צוגעוואונקען שמוציק, געפֿינקלט מיט די אויגעלעך ווי מייז.

ג.
אַוועקט! איך וויל אויף אייך ניט קוקן, איך וויל ניט זען אייך, ניט וויסן פֿון אייך מער!
אָ, הימלען פֿאַלשע, אָ, גענאַרערישע, נידעריקע הימלען אין דער הייך, אַך, ווי מיר פֿאַרדריסט –
איך האָב אַמאָל געגלייבט אייך, פֿאַרטרויט מיין פֿרייד, מיין אומעט אייך, מיין שמייכל און מיין טרער,
איר זענט ניט בעסער פֿון דער מיאוסער דער ערד, דער גרויסער הויפֿן מיסט!

ד.
איך האָב געגלייבט אייך, הימלען, באַזונגען אייך אין מיינע לידער אַלע, אין יעדן מיין געזאַנג –
איך האָב געהאַט אייך ליב, ווי ליב מען האָט אַ פֿרוי, זי איז אַוועק, צעגרונען ווי אַ שוים,
איך האָב די זון אין אייך נאָך אין מיין פֿריסטער יוגנט, די זון אין פֿלאַמען פֿון איר אונטערגאַנג,
פֿאַרגליכן מיט מיין האָפֿנונג: "אַזוי פֿאַרגייט מיין האָפֿנונג, אַזוי פֿאַרלעשט מיין טרוים!"

ה.
אַוועקט! אַוועקט! איר האָט אונדז אָפּגענאַרט, גענאַרט מיין פֿאָלק, גענאַרט מיין אַלטן שטאַם!
פֿון אייביק אָן – איר נאַרט אונדז, איר האָט די אָבֿות מיינע, די נבֿיאים מיינע נאָך גענאַרט!
צו אייך, צו אייך – האָבן זיי די אויגן זייערע געהויבן, אָנגעצונדן זיך אין אייער פֿלאַם,
די טרייסטע אייערע אויף דר'ערד האָבן זיי אויף דר'ערד דאָ, אין בענקשאַפֿט אייך גענאַרט.

9 To The Heavens

1.

So it'd happen, soon happen. Heavens, why, why
do we have to be so humiliated on this earth?
This deaf and dumb earth's shut its eyes,
but you on high've seen it all and not collapsed in shame.

2.

No cloud's covered your vile blue, sham splendor;
the sun, red as a ferocious executioner, has kept to its course;
the moon, an old whore sinner's on her stroll,
and stars wink luridly like mice eyes.

3.

Enough! I don't want to look at you, see more you,
oh sham cheating heavens supposed to be high;
once I believed in you, confided pains, joys, tears, smiles.
You're no better than this pile of shit earth.

4.

I praised, exalted you in all my songs, loved you as a woman.
But that's all gone, dissolved like foam.
From infancy your blazing sun resembled my yearnings.
"Now hope, dream have vanished."

5.

Enough! Enough playing games with my people,
my stock. You've always, with our fathers and our
prophets who lifted eyes to you, lit by your flame.
Always faithful, consumed by nostalgia for you.

ו.

אייך געוואָלט... צו אייך די ערשטע אויסגערופן: האזינו! פריער איר – פאַרנעמט!
און שפּעטער ערשט די ערד. אזוי מיין משה און אזוי ישעיה, מיין ישעיה: שִׁמְעוּ - הערט!
און שומו! ירמיהו שרייט: שומו! ווער זשע אויב ניט איר? וואָס האָט איר פּלוצלונג זיך אזוי
פאַרפרעמדט?

אָ, הימלען אָפענע, אָ, ליכטיגע איר הימלען, אָ, הימלעךהויך, איר זענט דאָך ווי די ערד.

ז.

איר קענט ניט, איר דערקענט אונדז שוין ניט מער, פאַרוואָס? צי האָבן מיר זיך דען
אזוי געביטן? אזוי געענדערט זיך? מיר זענען דאָך די זעלביקע די יידן פון אַמאָל –
און בעסער נאָך א סך... ניט איך! ניט איך וויל צו מיינע נביאים זיך פאַרגלייכן, ניט איך קען,
נאָר די יידן אלע, די צום טויט געפירטע, די מיליאָנען מיינע אויסגעהרג'עטע דאָ מיט
אַמאָל –

ח.

זיי זענען בעסער נאָך, מער אויסגעליטן, אויסגעלייטערט מער אין גלות דאָ! אָ וואָס באַטייט
אַ ייד אַ גרויסער, אַן אַמאָליקער, אַנטקעגן קליין אַ יעצטיקן, אַ פשוטן, א דורכשניטליכן ייד
אין פּוילן, ליטע, אין וואָלין, אין יעדן גלות, – פון יעדן יידן קלאָגט און שרייט
א ירמיה אויס, אן איוב אין יסורים גרויס, א מלך אן אנטוישטער מיט א קוהלת־ליד.

ט.

איר קענט ניט, איר דערקענט אונדז שוין ניט מער, ניט קיינעם, ווי מיר וואָלטן זיך
פאַרשטעלט,
מיר זענען דאָך די זעלביקע די יידן פון אַמאָל, מיר זינדיקן נאָך אלץ צו זיך אליין,
מיר זאָגן־אָפּ זיך אלץ נאָך פונם אייגענעם פון גליק און ווילן אלץ נאָך ראַטעווען די וועלט, –
וואָס זענט איר כלוי אזוי, איר הימלען כלוי, ביי אונדזער אויסגעהרג'עט ווערן? וואָס זענט איר
אזוי שיין?

י.

איך וועל ווי שאול, ווי מיין קעניג, זיך אויסקלאָגן אין מיינע פּיינען צו דער בעלת־אוב,
איך וועל דעם וועג געפינען, דעם פאַרצווייפלטן, דעם וועג דעם חשכ'דיקן קיין עין־דור,
און כ'רוף פון דער ערד ארויס אלע מיינע נביאים און באַשווער זיי אלע: קוקט, אָ קוקט ארויף,
צו אייערע הימלעךהעל און שפּייט אין פּנים זיי: צו אַלדי שוואַרצע יאָר אייך! צו אַלדי שוואַרצע
יאָר!

6.

They invoked you from the first "Hear, O heavens!"
And only afterward, earth. Thus Moses, Isaiah, my
Isaiah: "Hear", and "Astound!" cried Jeremiah.
To whom if not to you? Yet now you're like earth.

7.

You don't know or recognize us, why? Are we so
changed? Not the same, and even better? Not me!
I don't want to compare myself with the prophets;
with the millions of massacred Jews,— them, yes!

8.

They're better, more tested, purified by their exile.
Who's a past great Jew next to a simple one from Poland,
Lithuania? In every Jew, Jeremiah shouts, Job's desperate,
a king's sad with a Qohelet-song.

9.

You don't know or recognize us as if we're masked
yet we're the Jews of always, sinning against our
selves, wanting to save the world. How can you
remain so lovely while they're murdering us?

10.

Like Saul, my king, I'm going into my pain to find
that dark desperate street in En Dor,
call all my prophets from their tombs: look to their heavens
and spit in their faces with a "Damn you, devil!"

יא.
איר האָט זיך, הימלען, צוגעקוקט פון אויבן, ווי מען האָט די קינדער פון מיין פאָלק געפירט
איבער וואַסערן, אויף באַנען און צופוס אין טעג און אין העלע און אין פינסטערע אין נעכט צום
טויט.
מיליאָנען קינדער האָבן ביים דערהרג׳עט ווערן הענט צו אייך געהויבן – ס׳האָט אייך ניט
גערירט,
מיליאָנען מאַמעס איידעלע און טאַטעס – ניט פאַרציטערט האָט אויף אייך די בלאָהע הויט...

יב.
איר האָט געזען די יאָמערלעך, עלפּיערקע, אליין די פריידן! אַ פרייד, אַ גוטסקייט בלויז,
און די כּנציון׳לעך, די יונגע נאָנים, די ערנסטע, די זוכער... אָ, טרייסט פון אלץ וואָס לעבט!
איר האָט געזען די חנה׳ס וואָס האָבן זיי געהאַט, וואָס האָבן זיי פאַר נאָט געהייליקט אין זיין
הויז,
איר האָט זיך צוגעקוקט... איר האָט קיין גאָט אין זיך ניט, הימלען! הימלען גאָרנישט, הימלען
אויסגעוועבט!

יג.
איר האָט קיין גאָט אין זיך ניט! עפנט אויף די טויערן, איר הימלען, עפנט אויף זייַ ברייט,
און לאָזט די קינדער אלע פון מיין אויסגעהרג׳עטן, פון פאַרפייניקטן מיין פאָלק אריין,
עפנט־אויף זיי צו דער גרויסער הימלפאַרט, גאַנץ א פאָלק געקרייציקט שווער אין לייד
דאַרף אין אייך אריין... אָ, יעדער איינער פון די קינדער מיינע אומגעבראַכט, קען א גאָט זיי
זיין!

יד.
אָ, הימלען אויסגעליידיקטע און וויסטע, הימלען ווי א מדבר ווייט און וויסט, איך האָב
מיין איינציקן מיין גאָט אין אייך פאַרלוירן, און ז י י איז ווייניק האָבן אין אייך ד ר י י –
דער יידישער דער גאָט, זיין גייסט און דער גליל־ייד פון זיי געהאַנגען איז זיי קנאַפּ,
זיי האָבן אלע אונדז אין הימל אָפּגעשיקט, – אָ, עקלדיקע און געמיינע געטערדינעריי!

טו.
פרייט זיך, הימלען, פרייט זיך! – איר זענט געוועזן אָרים, יעצט זענט איר רייך,
א געבענשטער אזא שניט – גאַנץ, גאַנץ א פאָלק, אזא א גליק איז, הימלען, אייך כּאשערט!
פרייט זיך, הימלען אויבן, מיט די דייטשן, און די דייטשן אונטן זאָלן פרייען זיך מיט אייך,
און זאָל א פייער פון דער ערד אויף אייך ארויסגיין און א פייער זאָל צעפלאַקערן פון אייך זיך
אויף דער ערד.

23-26.11.1943

11.

You watched when children by sea, train, on foot,
by day and night were taken to death. Millions of kids,
mothers, fathers held out hands to you prior to being murdered.
Nothing made you tremble.

12.

You've seen little Yomele's unique joy, Benzion's studiousness,
for all creation. And Hanna who had them to consecrate
God at home. But you just watched.
No, there isn't a God in you, heavens.

13.

No God in you! Open your doors, heavens, wide-open.
Let the kids of my murdered people in.
For the great ascension: all my crucified people can arrive.
Every murdered child can be a God.

14.

O heavens empty as a desert I've lost in you my one God,
and their Three,—the Jewish God, His Spirit and the Jew they
hanged— isn't enough: they wanted us all in heavens.
O wicked idolatry!

15.

Congrats, heavens. You were poor, now rich. Luck's yours!
An entire population! Congrats, heavens.
Down here with the Germans festing up there with you.
Fire going upndown downandup.

י. אינם אָנהייב פֿונם סוף

אַזוי האָט זיך עס אָנגעהויבן, באַלד אין ערשטן טאָג, אויפֿמאָרגן ווידער! און דער נאָך
אויפֿסניי! אויפֿסניי! ס׳האָט יעדן אין דערפֿרי זיך אָנגעהויבן פֿון דאָס ניי –
געכטן ערשט! אָ, ניט באַוויזן האָט דאָס אומגליק ווערן אַלט, היינט באַגינען – האָרך: שוין ניי
א בראָך!
ניי א פּחד און א טויטשרעק ניי! דער טויט באַלייט, גייט נאָך אונדז ווי א שאָטן טריי...

ב.
יעדן טאָג האָט פֿאַר די אויגן פֿון א יעדן ייד מיט א ייד א צווייטן עפּעס־וואָס פּאַסירט,
עפּעס־וואָס... געטראָפֿן ווערן פֿון א קויל און פֿאַלן איז ניט מער פֿון יעדן "עפּעס־וואָס";
אַן אויטאָ האָט זיך אָפּגעשטעלט, א טירל האָט אַן עפֿן זיך געטאָן, אַריינגעכאַפּט א ייד און אים
אוועקגעפֿירט –
בעסער דעם געהרג׳עטן אין גאַס שוין, בעסער דעם געפֿאַלענעם שוין פֿון א שאָס.

ג.
כ׳האָב אין די ערשטע טעג פֿון זייער זיך אַריינרייסן אין שטאָט שוין נישט געגעכטיקט אין
מיין הויז,
איך בין אוועק פֿאַרנאַכט צו אונדזערן א נאָענטן, מיין פֿרוי האָט מיך דאָס מאָל באַגלייט,
אַן אָפֿיצער האָט אין דער טונקל אָפּגעשטעלט זיך, אָנגעקוקט מיך... יאָ, א ווײַלע בלויז,
און איז אוועק. צען טריט נאָך אונדז דערהערן מיר א שאָס, ער האָט אַן אַנדערן געטייט.

ד.
אונדז! אונדז! דאָס האָט ער אונדז געהרג׳עט, חנה׳לע, אי מיך, אי דיך, ער האָט געזוכט א ייד,
ער איז מיט אונדז געווען ניט זיכער... דו האָסט געזען ווי דער אויסוואָרף האָט געקוקט?
מיר האָבן ניט פֿאַרשנעלערט, ניט פֿאַרלאַנגזאַמערט, א האָר ניט אונדזערע, די זיכערע, די
טריט
פֿון לעבן צו דעם טויט... א ייד אַקעגטיקערער, א בעסערער האָט צו דער חיה אונטער זיך
גערוקט.

10 The Beginning Of The End

1.

The beginning, the very first day and next morning
again. And again. Morning begins it for everyone.
In so little time the sorrow's renewed. Hear it break
in: fear, terror. Death's with us, a faithful shadow.

2.

Every day before Jewish eyes something's going
on, "something" like being shot and falling. Or a
car-door opening, a Jew's pushed inside, carried
away. Better to be killed in the street by a bullet.

3.

From the first day I didn't sleep in my own house;
I went by night with my wife to my friends. In the
dark an official barred the street, fixed on me then
went on. Ten steps later, a shot. He killed another.

4.

Us! Us! They wanna kills us, Hanele, you and me.
They're looking for Jews, aren't sure about us. Did
you see how that pig looked at us? And a better
revealed Jew's fallen into that pig's hands.

ה.
חנה, ער האָט דאָך אונדז, אונדז אלעמען דערהרג'עט דאָך אין יענעם גרויליכן מאָמענט
אי מיך, אי דיך, די קינדער אונדזערע, דאָס גאנצע פאָלק דאָס יידישע אין גוישן אין לאנד –
ער האָט פארמאָסטן מיט א בּליק א שטאָלענעם זיך און ער האָט אדורכגעפירט און האָט
פארלענדט!
פארמאָסטן אין א גאס זיך, אין אן אָפּגעלעגענער פארנאכט... דו דריקסט מיר קאלט די
האנט...

ו.
אי דיינע, חנה, און אי מיינע – קאלט. ער האָט דאָך אונדז געהרג'עט, גיי אהיים און זאָג די
קינדער ניט
אז א דייטש האָט אונדז געטראָפן, אָפּגעשטעלט זיך בּלאָנד און אָנגעקוקט אונדז לאנג –
און אונדז געהרג'עט, אי אונדז, אי זיי און גאנץ מיין פאָלק... אָ, ניט דערציילט זיי. גאָט בּאהיט,
גיי אהיים און גלייך דו ווייסט פון גאָרניט... חנה, חנה'לה, וואָס קוקסטו אזוי בּאנג?

ז.
גיי אהיים, און מאָרגן פרי, גאנץ פרי, עס וועט נאָר ווערן טאָג און איך בּין דאָ בּיי אייך,
איך ווארט א ווייל און קלינג לייכט אָן, דו וועסט דערהערן אים, דערקענען אים, דעם קלונג –
גיי שטיל אראָפּ פון בּעט, ווארף עפּעס וואָס אויף זיך ארויף און עפן אויף מיר גלייך,
פיר צו די קינדער צו מיר... אָ, קינדער מיינע קליין, אזוי ווי לעבּעדיג, און שיין אזוי און יונג!

ח.
זע, זע, מיין יאָמעקל האָט אויפגעכאפּט זיך מיט א שמייכל... יאָם, מיין טייערער, מיין קינד!
און ס'האָט בּקציון'קע די האנט ארייגנערוקט צו קאָפּן אונטער קישן... ער געדענקט:
וואו ער האָט דאָס בּוך הארט פארן איינשלאָפן געלייגט, איין מיש – און ער געפינט
די זייט, די שורה ווייטער... פארוואָס, אָ, חנה'לע, אָ יינגעלעך, פארוואָס האָט מען אייך
אומגעבּרענגט?

ט.
חנה'לע, איך בּלייבּ די נאכט מיט אייך, איך וועל ניט מער אוועקגיין פון דער היים בּיינאכט,
וואָס דארפן היטן זיך אזוי שוין טויטע? פארמשפּט'ע שוין? שוין געצייכנעטע צום טויט?
מיר האָבּן דאָך דאָס ערגסטע דורכגעמאכט שוין, מען האָט דאָך אונדז שוין אומגעבּראַכט.
דו האָסט געזען דעם דייטש? זיין קוקן? ניט פארציטערן אזוי וועט מער אויף אונדז די הויט...

5.

Hanna, he's killed us all in that terrible moment—
me, you, our kids, all Jews in a Gentile country; he
weighs us with a furtive look, acts and destroys.
On a far-off street your cold hand squeezes mine.

6.

Our hands cold, Hanna; he's killed us. Go home
and tell the kids nothing about being stopped by
a German who'd killed us, them, all my people.
Be mum, Hanna. Hanele, why look so afraid?

7.

Tomorrow morning early I'll be with you all again;
I'll wait awhile, then ring the bell, you'll hear it and
leave the bed, put something on and open to me.
Carry my little ones, so alive, young and beautiful.

8.

Look, Yomele's woken with a smile, Benzion's put his hand
under the pillow where he left a book before sleeping.
He's found the page, exact point.
Why, Hanele, children, have they annihilated us?

9.

Hanele, I'm with you all night, won't let you alone.
Who cares the dead are on guard?
We're already past the worst, have already been assassinated.
That German's look! Our skin no longer shudders.

י.

דאָס איז געווען די סִטְרָא־אַחְרָא, דער שׂר פון אונטערוועלט. אליין די בּרוד, אליין, אליין דער שמוץ!

אליין דער בּלוטדורשט, די פּארקערפּערונג פון שלעכטס און פון אומזיסטן האַס –
צום אומבּאַהאָלפענעם אין זיין גערעכט זיין, צו אלץ וואָס גוט איז אויף דער ערד און אָן א שוטץ,

א דייטש! דער דייטש וואָס איז געבּליבּן שטיין און האָט קאלט אָנגעקוקט אונדז אויף די גראנסקע גאס!

יא.

דאָס איז געווען היטלער, הימלער, אלפרעד ראָזענבּערג, ניין! אלע דייטשן מיטאנאנד,
דאָס גאנצע פאָלק, דאָס שלעכטסטע, דאָס געווייסנלאָזטע איז פאר די אויגן אונדז געשטאַן'.
ווען איך שיס אים, חנה, ווען איך הרג'ע אים אין דער מינוט, ווען איך האָבּ וואָס דערמאָלט אין מיין האנט –

איך וואָלט געראטעוועט מיין פאָלק, אי דיך, אי זיך, אי אונדזערע די קינדער דאַן –

יב.

זיי האָבּן אויפגעכאפּט זיך... זאָג זיי גאָרניט! וואָס? וואָס טוסטו? יאָ, דו רייסט זיי יעצט ארויס ארויס

די גלאנציקע די קנעפּ און די בּלויע שנירלעך פון דריי שילער מאנטעלעך יעצט אָפּ!
נַייסט די שאַנדבּענדער פאר בּיידן אונדז און דעם עלטסטן אונדזערן... יאָ, ר'איז שוין גרויס!
ר'וואַרפט זיך, ווילס'ם ניט אָנטאָן... דו יאָמעקל, מיין קליינינקער, וואָס לאָזטו, דו, אראָפּ דעם קאָפּ?

יג.

מיין יאָמעק ווייסט ניט אז מען האָט געהרג'עט אונדז, אז מען וועט אונדז הרג'ענען. אָ וועלט!
דאָס גאנצע דייטשע פאָלק איז דאָך ניט ווערט א טרער פון א פארצווייפלט יידיש קינד,
אַך, ווען ער ווייסט'ם, מיין פריילעכסטער! די פריילעכקייט!... א קעלט... מיך נעמט ארורך א קעלט,

ווי מיר, זעעודיקן, ווי... און וואויל, יאָ וואויל אייך קינדער יידישע, וואָס איר זענט בּלינד...

יד.

חנה'לע, דו בּיסט א שטאַרקע, חנה, איך האָבּ עס אויף אזוי פיל ניט געוואוסט,
ווילסט זיין אליין דאָ? מיט די קינדער דאָ? און מיר, מיר זאָגסטו: פאָר! פאָר שנעל!
קיין ווארשאָ פאָר! כ'האָבּ ניט געוואָלט און בּין אוועק קיין ווארשאָ, כ'האָבּ געמוזט,
די אויגן זענען מיר געווען בּיים אוועקפאָר טרוקן... די טרער איז מיר געשטאנען אין מיין קעל.

10.

He's the demon, prince of the underworld: all filth,
all dirt! Bloodthirsty incarnations of evil and unjust
hatred for the powerless, good and defenseless
before the cold-eyed German on Via Gdanske.

11.

It's Hitler, Himmler, Alfred Rosenberg—No! All the
Germans, the wickedest, basest people stood in
front of us. If I killed them all in an instant maybe
I'd have saved my people and you and our kids.

12.

They've woken. Say nothing. Do what? Pull out the
mother-of-pearl buttons and blue bows from three aprons.
Keep sewing bundles of shame for
us. But why, little Yom, do you lower your head?

13.

Yom doesn't know they want to murder us, that all the German
people aren't worth one tear of a desperate Jewish child.
A shiver goes through me. We see miseries.
You, kids, are the blessed blind.

14.

Hanele, you're strong but I don't know whether
you want to stay here alone? With the kids?
You say: "Go quick, go to Warsaw." I don't want to but I'm gone.
Had to. Dry-eyed. Sobs in my throat.

טו.

מיט קנאַפּע צוויי חדשים שפּעטער האָט מען אַרויסגעשיקט אייך פון דער היים, דיך מיט די זין –
איר האָט נעראַטעוועט דערנאָך צו מיר זיך אין דער וואַרשאָ. דו האָסט געזען מיט מיר צחאם דעם אָנהייב פונם סוף... בּיים סאַמען סוף בּיסטו און בּנציקל און יאָמעק ניט געווען שוין... כ׳בּין
אליין געבּליבן, מיט מיין עלטסטן, צוגעקוקט צום סוף זיך פון אונדז אלעמען אין פייער און אין פלאַם.

4-6.12.1943

15.

In less than two months you and the kids have fled to me
in Warsaw, with me see the beginning of the end.
Now you, Benzion, Yom are no more.
I'm only with Zvi watching the end of everything in flames.

יא. געדענקסט?

כ׳האָב ליב דיך רופן בײַ דײַן נאָמען, כ׳האָב ליב אַרויסזאָגן אים: חנה׳לע! כ׳האָב ליב
צו דיר זיך װענדן נאָך דײַן אוועקגענומען װערן מיט מײַן פֿאָלק, דו ענטפֿערסט מיר, דו שענקסט
דײַן בליק פֿון דײַנע אויגן מיר די ליכטיקע, דײַן אומעטיקן גוטן שמייכל אויף דײַן ליפּ,
כ׳האָב ליב דיך רופן אין מײַן אײנזאַם זײַן, אין עלנט מײַנעם פֿרעגן דיך: געדענקסט?

ב.
געדענקסט? כ׳האָב ליב דיך פֿרעגן צי געדענקסטו? חנה׳לע, אָ קום, קום נענטער צו מיר צו,
לייג אויפֿן אַקסל מיר דײַן הערליכן דײַן קאָפּ און דײַנע האָר די שוואַרצע מיטן װײַסן שרונט –
נעם אין אָרעמס מיך, באַלעב מיך, שטאַרק מיך... כ׳האָב דיך אַרויסגערופֿן פֿון דײַן רו,
רו ניט, חנה׳לה, אָ ניט פֿאַרהיילט זאָל װערן אין פֿאַרגעסנהייט די אײביקע די װאונד.

ג.
זעץ מיט מיר אַװעק זיך, איך האָב דאָך ליב אַזוי דיך... אין מײַן ליבע געװאַלדיק, הער מיך װאָס
איך זאָג,
דו הערסט! דו הערסט! באַגליקסט אין גרויסן אומגליק מיך, מײַן חנה׳לע, מײַן פֿרוי!
אין גרויסן װיי אין אונדזערן, אין א ו י פֿ ה ע ר ן, באַפֿרוכט איך דיך פֿאַר אַלע װעלטן – טראָג
די פֿרוכט פֿון אָנקלאָג װי מײַנע זין אין דיר, טראָג, פֿאַרטראָג אין אַלע װעלטן זינדיק, רוי און
גרױ!...

ד.
געדענקסט דאָס גרויזאַמסטע, דאָס שוידערליכסטע, דאָס אומבאַרחמנות׳דיקע אויף דער װעלט?
געדענקסט? איך װייס אַז דו געדענקסט, דו האָסט אין אַלע אײביקייטן מיטגענומען עס –
דו און מײַנע זין, איר װעט געדענקען אײביק אים, דעם מאָרד פֿון אײַער פֿאָלק און װענן דעם
פֿאַרגעלט,
איך אויך! איך װיל׳ס אויך און האָב אַלץ מורא – ס׳זאָל די שעה ניט זײַן – און איך פֿאַרגעס...

11 Remember?

1.

I love to call you by name, pronouncing Hanele, to
turn to you now they're taking you away with my
people. You gift me your radiant eyes, your sad,
gentle smile. I love calling you in sad loneliness.

2.

Remember? I love asking you to come, Hanele,
come here, lean your sweet head of dark hair on
my shoulder, hold me in your arms, enliven me,
don't rest or the eternal wound will be forgotten.

3.

Sit with me, I want you so much. Listen, love. Do
you hear me? In my great tragedy you make me
happy. I fecondate you before the world. Carry the
fruit of our accusation like a child in your lap.

4.

Remember the most cruel, horrible, inhuman thing on earth?
I know you remember, I'll carry it with you to eternity.
You and my sons always will remember the murder of our people.
As will I.

ה.
איך האָב שטענדיק זיך אויף דיר פאַרלאָזן, מערער ווי אויף זיך אַליין, ווי כ'וואָלט
געווען דיין מעדיום, ווי כ'וואָלט פולבראַכט דיין הײמליכן באַפעל, געטאָן וואָס דו
פאַרלאַנגסט –
האָסט חובות שווער אויף מיר אַרויפגעלייגט, כ'האָב אַלע זיי מיט ציטער און מיט פרייד
באַצאָלט:
כ'האָב ליב געהאַט מיין פאָלק, געווען מיט אים אין גלות, געזונגען אים אין האָפנונג און אין
אַנגסט.

ו.
געדענקסט דאָס הויז אויף טוואַרדאַ, דאָס הויז אין קליינעם געטאָ, דאָס יתומים־הויז?
די פּופּציק יינגעלעך? געזונט א שטאַם! איך האָב פאַר זיי געשריבן א טעאַטער־שפּיל,
געדענקסט די קינדער אין "מיך ציט אין גאַס!"? זיי זענען שפּילענדיק געוואַקסן, אויסגעוואַקסן
גרויס,
מיט זיי מיין ווערק... זיי האָבן מער ווי איך דאָרט האַרץ אַריינגעלייגט און מער געפיל...

ז.
געדענקסט דעם טאָג מען האָט אונדז אָנגעזאָגט: זיי אויך! מען האָט אַוועקגעפירט אויך ז י י,
צוזאַמען מיט דאָמבראָווסקי'ן און זיין פרוי – זייערע צוויי לערער טרייע – מיינע פריינט.
כ'בין אַוועק באַלד צו דער בריק אויף כלאָדנאַ, איך האָב דיר ניט געזאָגט וואוהין איך גיי...
אין קליינעם געטאָ זענען הינט אַרומגעלאָפן נאָך און קעץ, די זון האָט נאָך געשיינט.

ח.
יידן האָב איך אין דעם קליינעם געטאָ ניט געטראָפן שוין, וואו ניט וואו האָב איך געזען
א שאָטן שלייכן מיט א זאַק גרויס אויפן רוקן, אַדאַנק דעם זאַק האָב איך זיך אָנגעשטויסן אַז
עס איז א ייד.
ער איז געגאַנגען שנעל, דער זאַק האָט צוגעהאָלפן אים, אים צוגעשטופּט: גיי! גיי!... עס איז
געשען!
ניטאָ שוין, ניט די אייזיקגאַס, ניט גזשיבאָוו, ניט קראָכמאַלנע, ניט וואַליצאָוו און ניט די
טוואַרדאַ, אויס! שוין אויס יאַריד!

5.

I've relied on you, more than myself, as if I were your medium,
obeying secret orders to exhaust desire.
Grave tasks I've done in joy and trembles,
loving my people, singing them in hope and fear.

6.

Remember the house on Twarda Street in Little
Ghetto, that orphanage? Those 50 kids? It was for
them you wrote "The Street Calls Me!" Remember
them reciting it? Their hearts and souls reciting.

7.

Remember what they told us, and even they were
taken away, together with friend Dombrowski and
wife, two brave teachers. I ran to the bridge over
Chlodna Streets. Dogs, cats running. A sun shone.

8.

But no human did I see in the Little Ghetto,
only a shadow, a sack on its back, that said to my quick-pace,
"Go, go, it's over." Ayzn Street, and Gzibow,
Krochmalne, Walizow and Twarda—all finished.

ט.

איך בין אריין פון טשעפלאַ אויף דער טוואַרדא, פאַרנומען לינקס זיך – טוואַרדא זיבן, כ'פלי, א פייל

פון בויגן, אין דעם טויער און אויף די טרעפּ, טח אויפן צווייטן שטאָק – אַן אָפענע די טיר!
איך בין געשטאַנען און געוואָלט, געוואָלט, געוואָלט און ניט געקאָנט אריין א היפּשע ווייל,
ניט געקאָנט די שוועל אריבערטרעטן, כ'בין געשטאַנען פאַר אַן אָפענע טיר און ניט געגעבן
זיך קיין ריר.

י.

איך האָב דערהערט: מען גייט... אין טויער? אויף די טרעפּ? א גנב מיאוס? צי מיאוסער א סך
א דייטש? און כ'בין

אריין אין קאָרידאָר אין לאַנגן, די טירן אלע אין אים אָפן, אויפגעעפנט, רעכטס און לינקס, און
ס'שיט

די זון פון ערגעץ־וואו, פאַרשיט דעם קאָרידאָר מיט גאַנצע גאַרבן שטראַלן אָן חשבון און אָן זין,
זי בלענדט די אויגן מיר, פאַרבלענדט מיר, אַ פאַרבלענדעניש... אָ, מיין צעטומלעניש אויף
איר און מיין געמיט!

יא.

די מאַנטעלעך – זיי האָבן אין דער לענג פון קאָרידאָר א שיין געטאָן! כ'האָב עטליכע
דערקענט

און אָנגערירט זיי: אַבאַ'לע! ער האָט געשפּילט דעם האַנדלאַרזש וואָס קומט אין גרויסן הויף,
ער האָט געהויבן הויך דעם קאָפּ, די אויגן הויך צו אלע פענסטער, געפּאָכעט מיט די הענט:
"אין זאַק אין מיינעם, יידן! די לאַטעס און די שמאַטעס און וואָס צעריסן איז און ברודיק איז –
איך קויף".

יב.

דאָס פאַלטאָ'לע איז אַהרן'עקס, ער האָט געשפּילט די הויפטראָל: דעם יינגל וועלכן ס'ציט אין
נאָס,

"מיך ציט אין נאָס!" און נאַרט דעם לערער אָפּ: איך מח אהיים! ער נאַרט, נאַרט אָפּ דעם
לערער פון געזאַנג:

"די מאַמע איז מיר קראַנק!" און רעדט א חבר צו: "קום, זינג אין הויפן, איך – איך קלאַפּ אין
טאַץ" –

פון ערשטן הויף אנטלויפט ער צריק אין קלאַס און ווערט אין קלאַס געוואויר: די מאַמע איז
אים טאקע קראַנק!

9.

I entered 7 Twarda Street, flew arrow-like over the stairs
up to the 2nd floor. The door was open!
I wanted to go inside but couldn't.
Couldn't cross the threshold, didn't succeed in even moving.

10.

I hear downstairs. On the steps? A rotten thief or, even worse,
a German? I go along the corridor, doors open right and left;
the sun's crazy beams blind, dazzle, disorient me.
Bewilderment's got me.

11.

Coats in their place in the corridor. I touch one,
it's Abbale's, who played the ragman in the play
who enters the courtyard and shouts: "Come on, folks,
clothes and rags in the sack. I'll buy all."

12.

And this one's Arek's, supporting actor who played
foil when the kids wanted to sit in the street and
lied to the music master with "my mother's sick" to
play in the courtyard only to learn she really was.

יג.
און דאָס! דאָס נייע מאַנטעלע איז פּנחס׳לס, הערשעלעס, דעם דיכטערס זון, א טייער קינד!
הערשעלע איז אויסגעגאַנגען פאַראַיאָרן נאָך פון הונגער, און זיין יתום׳ל, זיין זון
ער האָט געשפּילט דעם הונגעריקן יינגל וואָס כאַפּט געשיקט פון קויש א זעמעלע געשווינד
ער עסט׳ס מיט בלוט וואָס רינט פון אים, רעדט מיט א טרערעלע אין קעל און ווייסט לגמרי
נישט דערפון...

יד.
איך גיי אריין אין זאַל און לויף אין שרעק ארויס, איך רייס אין עסצימער אריין זיך און פון
דאָרט
רייס איך צו דורן, דאָמבּראָווסקי׳ן, זיך אריין, צו זייער לערער... ניטאָ אים אויך! ניט אים, ניט
איר!
זיי אויך... בּיידע זיי ווי קאָרטשאַק און ווילטשינסקאַ זענען מיטגעגאַן' מיט די יתומים׳לעך אין
יענעם אָרט
וואו ס׳וואָלטן עלטערן זיי ניט בּאַגלייט... אויף דער ערד איז אויסגעשאָטן הויך א בּאַרג
פּאַפּיר –

טו.
איך האָבּ געזוכט אין שטויס פּאַפּירן אין צעוואָרפענעם... אָ וואַרפט אין פייער אלע מיינע
חערק
און ראַטעוועט איין יתום׳ל פון אָט די פופציק יינגעלעך, די טייערע, מיר אָפּ –
חנה׳לע, געדענקסט, אָנשטאָט א יתום׳ל, א יידיש קינד, האָבּ איך אהיימגעבּראַכט פון
טוואַרדאַ גאס אַ צווערג –
"מיך ציט אין גאַס!" איין העפט פון העפטן דריי, דעם מיטלסטן, א צווערג אָן פיס און אָן אַ
קאָפּ.

14-16.12.1943

13.

And this new coat's Pinchasel's, son of the poet
Hershele, who died of hunger, left a little orphan who plays
the part of a hungry boy who robs some bread, eats it,
blood running down, sobs in throat.

14.

I enter the living room, in horror flee to the rectory
where David and Dombrowski, the teachers aren't there,
nor is she, nor Korezak and Wilczynska who play orphans' parents...
For land, a pile of leaves.

15.

I look in that pile. O throw all my works in the fire if
I could save just one of those 50 orphans.
Hanele, remember? Instead, I bring home the 2nd Act of
"I Sit in the Street". A trunk without head or legs.

יב. די מילאַ־נאם

ס'איז דאָ א גאס אין ווארשאָ, דאָס איז די מילאַ־גאס, אָ, רייסט ארויס די הערצער זיך פון ברוסט
און ליינט אָנשטאָט די הערצער שטיינער דאָרט אריין, אָ, רייסט ארויס פון קאָפּ די אויגן נאַס
און ליינט ארויף אויף זיי שאַרבויינעם, ווי איר וואָלט עס ניט געזען און ניט דערפון געוואוסט,
פארשטאָפּט די אויערן און הערט ניט – טויב! איך גיי דערציילן פון דער מילאַ־גאס.

ב.
ס'איז דאָ א גאס אין ווארשאָ – די מילאַ־גאס... ווער ווייגט? און שטיל אזוי? ניט איך, איך וויין ניט, ניין!
די מילאַ־גאס שטיינט איבער אלע טרערן, ס'וויינט קיין ייד ניט. גוויים ווען זיי וואָלטן עס געזען
זיי וואָלטן דערמאָלט אויסגעבראָכן אין א מוראדיקן אלע, אין א ביטערן געוויין,
א גוי איז אָבער אין דעם טאָג פון מילאַ־גאס, אין טאָג אין יענעם, אין דעם געטאָ ניט געווען.

ג.
יידן נאָר און דייטשן... יידן! יידן! יידן! אזוי א סך, און מערער נאָך – מען האָט
דריי הונדערט פופציק טויזנט יידן פון איין ווארשאָ, ווארשאָווער דערהרג'עט שוין –
די אלטע אויסגעשאָסן אויפן בית־החיים, די איבעריקע אלע ארויסגעפירט פון שטאָט
אין די טרעבלינקעס – און די מילאַ־גאס איז פול, איז איבערפול ווי די וואַגאָנעס, קוק און שטוין!

ד.
פון וואנען? מען האָט דאָך אלע אויסגעהרג'עט שוין! מען האָט דאָך אלע אויסגעשאָסן און דערשטיקט!
דאָס זענען יידן פון די שאָפּן אויף דעם שטיקל נאָוואָליפּיע און אויף דעם שטיקל לעש –
די יידן מיט די נומערלעך, אָ יידן גליקליכע! יידן וועלכע עס האָט אָפּגעגליקט
און האָבן זיך ארייגעקראָגן אין א שאָפּ, ס'לעצטע ביסל יידן, יאָ, די רעשט! די רעשט...

12 Mila Street

1.

There's a street in Warsaw, Mila Street,
oh you tore the hearts from our chests and put stones,
eyes from our heads and left skulls, so we see
and know nothing, cover our ears, stay deaf.

2.

There's a Warsaw street, Mila Street, weeping in silence.
No, not me! Mila Street's beyond tears. No Jew's weeping.
Had Gentiles seen the scene they'd burst our crying.
None were in the Ghetto.

3.

Only Jews and Germans. Jews without end. They
massacred 350,000 Jews of Warsaw, shot the old
ones in the cemetery, shipped the others off to
Treblinka, and still Mila Street's full of train-cars.

4.

How come? Aren't they all murdered, hanged or
shot already? Only the Jews in the shops* on that
bit of Nowolopie and Lesz Streets, the lucky ones.
Who got into shops. The last Jews. Yes, the rest!

ה.
יידן פון די דאָזיקע די שאָפן און יידן אַזש פון גענשא, פון העט־העט, קהלה־יידן, די
מיט די בלעכן אויף דער ברוסט און בעזימער אין האנט וואָס קערן אוים די גאסן פוסט,
די פלאַצוווקע־יידן וואָס נייען מיט געזאנג ארוים פון געטאָ יעדן אין דער פרי,
און יידן פון באהעלטענישן... עס זענען יידן נאָך אין ווארשאָ דאָ! איך האָב עס ניט געוואוסט...

ו.
הלואי זיי וואָלטן ניט געוועזן! זיי וואָלטן ניט געבוירן ווערן אויף דער דאָזיקער דער ערד!
און אויב געבוירן שוין – הלואי וואָלט מען זיי פריער אָפּגעטאָן זיי זייער רעכט –
איידער איר דערלעבן, איר, די מילאַ־גאס... א גאס אזא אין ווארשאָ, הערט אלע, הערט:
נאָך גוט וואָס ס'איז קיין גאָט ניטאָ... ס'איז טאקי שלעכט אָן אים, אָ זייער שלעכט!

ז.
נאָר טאָמער וואָלט ער זיין וואָלט ערגער נאָך געווען! אי גאָט און אי די מילאַ־גאס... אזא א
פּאָר!
אָ, נעמט ארוים די קינדער אייערע באהאלטן אין וואַליזעס, שליידערט זיי, צעשמעטערט זיי
אָן וואַנט!
צינדט פייערן גרוים אָן און שפּרינגט אהין אריין מיט הענט פארבראָכן, רייסט זיך ביי די
האָר:
ס'איז דאָ אַ גאָט! אנ'אומגערעכטיקייט אזא! אַ שפּאָט אזא! און גרוים אזא א שאנד!

ח.
באלד אין דער פרי, פאַרטאָג נאָך, איידער נאָך ס'איז בייז און אומגערעכט געוואָרן טאָג,
האָט מען געוואוסט אין קעלערן באהאלטן און אויף בוידעמער און אומעטום, 'און דאָ און דאָרט:
"אלע יידן מחן ביז א זיינער צען, ניט שפּעטער ניט קיין האָר, זיך צושטעלן אויף מילאַ־גאס,
מען מאָג
מיטנעמען נאָר האַנט־געפּעק... און בלייבט ווער אין דער היים – ער וועט דערשאָסן ווערן
אויף אָרט".

ט.
באלד אין דער פרי האָט אָנגעהויבן זיך פון אלע זייטן גרוים און מעכטיק אַ געגיי,
די זענען ערשט ארויסגעשטיגן פונם קעלער, די אראָפּ פון בוידעם, מען דערקענט דאָך באַלד
וואו יעדער איינער איז געווען באהאלטן... קראַנקע פון די בעטן, זע, עס טוט זיי שוין ניט ווייז!
דו נאָר ניט העלף ביים נייגן זיי, ניט האַלט זיי אונטער און הויב ניט איינעם אויף ווען איינער
פאַלט –

5.

The shops Jews and those of Gesia Street and the Kehile,
stains on chests, brooms in hand, who each morning
left the Ghetto singing. And those in hiding.
There are still some I wasn't aware of...

6.

If only it weren't, that they'd never have come into the world
but, seeing that they are, better they're dead before seeing
Mila Street. Listen, all, better God doesn't exist,
even if evil's done without Him.

7.

If He did it for us, it'd be even worse. God and Mila
Street, what a pair! O pull out your kids hidden in
valises and smash them against the wall. Pull hair.
There is a God! What injustice, hoax and shame.

8.

At dawn, before another evil, unjust day's arisen,
those known to be in cellars, attics, other refuges:
"All Jews by 10 o'clock on Mila Street. Carry one valise.
If you stay hid you'll be killed on the spot."

9.

At dawn, they start flowing up from cellars, down
from attics, the sick from beds as though they were healthy!
You wouldn't help them to walk by
supporting them, or help them up if they fall.

י.

ער גייט אויף מילאַ. אלע מיר, מיר גייען אויף דער מילאַ, אין א שעה ארום און ס'וועט
קיין ייד קיין לעבעדיקער זיך ניט מער געפינען דאָ ווי אויף דער דזעלנא, ווי אויף פאַווע, ס'איז
שוין ניין!

אין א שעה ארום וועט וואַרשאָ אויסזען שוין ווי אלע יידישע יעצט גרויסע שטעט
און שטעטלעך אין פוילן און אין ליטע און אומעטום וואו דייטשן רייסן זיך אריין.

יא.

און אין א שעה ארום – און אויסגעלאָשן האָט די זון זיך איבער וואַרשאָ און איז מיט אונדז
אוועק

אויף מילאַ־גאַס, מיט איבער הונדערט טויזנט געבליבענע נאָך יידן אויף דער מילאַ־גאַס –
ניין, נישט די זון! א שרעק פון הימל האט אַכזריות'דיק באַגלייט אונדז, גרויס א שרעק,
אויף יעדן פנים פון די איבער הונדערט טויזנט יידן פאלט איר אָפּשיין בלאַס...

יב.

אַ שרעק! ס'איז פול מיט איר די גאַס, די מילאַ־גאַס ווי מיט יידן פול, זי שוועבט אין לופט, –
מיר אויך! מיר אלע דאָ געהערן שוין ניט צו דער ערד, זי רוקט אוועק זיך פון אונטער
אונדז'רע פיס.

איך זע באַקאַנטע, פריינד און האָב פאַרגעסן זיי'רע נעמען, ווי אַזוי מען רופט
זיי אלעמען, ווי טויטע... ווער איז דער? און דער דאָ? די פרוי דאָ מיטן קינד, און יענע דאָרט ווער
איז?

יג.

איך האָב אריינגעכאַפּט זיך אין א שטוב און אָפּגעלעבן מיט מיין זון אויף דר'ערד א גאַנצן טאָג
און קנאַפּ א נאכט. מיר האָבן זיך פאַרטאָג געפעדערט, אויסגעשטעלט זיך אין די רייען פון מיין
שאָפּ –

צו פינף אין ריי, ארויס אויף דער סעלעקציע, זיך שטעלן אויף דער וואָגשאָל, אויף דער
דייטשער וואָג

געטויט צו ווערן באלד ציי שפעטער... איך בין פאַרביינגעגאַנגען זיי און אויפגעהויבן הויך מיין
קאָפּ.

10.

We all go onto Mila and in an hour there's not a Jew alive
on Dzielna and Pawia Streets. Warsaw
will look like all the big Jewish cities and villages in
Poland, Lithuania where Germans have arrived.

11.

In less than an hour the sun went out over Warsaw
but came with us last 100,000 Jews of Mila Street.
No, not the sun. A terror from the sky went with us,
big terror the pale faces of that mass of us reflect.

12.

Terror! Mila Street's full of it, as of Jews.
We don't even belong to earth anymore.
I see friends and acquaintances. I forget their names.
This one, that. They're like dead. Who's this woman and infant?

13.

I hid in the house lying down with my son all day and night.
At dawn I snuck into a line at the shop.
In lines of 5, ready to be selected to be killed now
or later. I passed before them, head held high.

יד.
איך האָב געקוקט און האָב געזען: מען האט א ייד א זאַק אראָפּגענומען פון זיין פּלייצע דאַר,
און דער זאַק האָט אָנגעהויבן וויינען... א קינד! א יידיש קינד! דער זשאַנדאַר ברענט:
ער זוכט דעם טאַטן... שרייט צום קינד: דערקען אים! דאָס יינגעלע קוקט אָן זיין טאַטן שטאַר,
ער קוקט אים אָן און וויינט ניט... ער קוקט אים אָן דעם טאטן זיינעם און האָט אים נישט
דערקענט!

טו.
דאָס יינגעלע! און ס'האָט דער דייטש ארויסגעשלעפּט א צווייטן ייד פון ריי, אַן "אומשולדיקן"
– דו!
און האָט אוועקגעשטעלט זיי ביידן צו די טויזנטער געחתמ'עטע צום טויט – אזא א שפּאַס!
איך האָב געזען – אָ, לאָזט מיך, פרעגט מיך נישט, ניט פרעגט מיך – וואָס? ניט ווען? ניט
פרעגט מיך וואו?
איך האָב באשוואוירן אייך: ניט פאָרשן גאָרנישט און נישט הערן קיינמאָל פון די מילאַ־נאס.

24-26.12.1943

14.

I saw them tear a sack from the back of a Jew
and the sack was a child, a Jewish child! Infuriating the cop.
The father yells at the child: Point out your father.
The kid looks, doesn't weep or betray him.

15.

Two kids. The German yanks a second "innocent"
Jew out of the line with a "You!" And puts both with
those condemned to death. What fun! I've seen —
don't ask how or what's happening on Mila Street.

יג. מיט חלוצים

אָ, פרענט ניט קיינער, ניט דערמאָנט מיר די מילאַ־נאם, ז׳איז פול געווען און איז געוואָרן באַלד
צונישט.
איבער הונדערט טויזנט יידן זענען דאָרט געווען מיט קלומיקלעך, מיט רענצעלעך אויף
פלייצעס און אין הענט,
און אין די קלומיקלעך א העמד, א האנטוך, ברויט א שטיקל מיט קינדער קליינע אויסגעמישט,
בלאסע ווי דער לייוונט, טרוקן ווי די שטיקלעך ברויט אין זיי, און שטום, פארשטומט ווי ווענט.

ב.
ס׳האָט ניט געהאָלפן נאָרנישט, מען האָט זיי אלעמען געפונען, אויסגעפונען, זיי דערטאַפּט
טיף אין די קעלערן פון מילא, אויף בוידעמער באהאלטן, אויף פּאָליצעס פארשטויבט, אין
בערגלעך מיסט,
און אומעטום, די מילאַ־נאם איז פול געווען מיט אונדז. וואָס קומט ארויס: געבליבן זענען קנאַפּ!
מען האָט אונדז אויסגעשאָסן אויפן אָרט און צום טויט ארויסגעפירט אין וועגן וויסט.

ג.
א קליינער טייל פון אונדז האָט אומגעקערט אין שאָפּ זיך, דאָרט אויף דער נאָוואָליפּיע און דער
לעש,
איך האָב געדרייט די שפּול־ראָד, מיין זון, מיין איינציק מיר געבליבענער ז׳געשטאנען שטום
ביי א מאשין.
די שאָפּ – אָ, ווינקלען מיאוסע פון א מזבח אומריין, צוואנציק טויזנט יידן קלאמערן זיך נאָך אָן
אייך, די רעשט,
אין געטאָ... ווער ס׳האָט אין יענע טעג דעם געטאָ נישט געזען! ווער ס׳האָט נישט דאַן
פארבלאָנדזעט דאָרט אהין!

13 With The Chalutzim

1.

O don't ask. More than 100,000 Jews with sacks,
bundles, shopping baskets; in the bundles a shirt, a towel,
a piece of bread mixed with a child pale as linen
shriveled like stale bread, moldy as walls.

2.

There was no escape, they discovered everyone
in deepest cellars, on ceilings, in cupboards and
rubbish everywhere on Mila Street. They killed us
or carried us off to death through deserted streets.

3.

A few of us return to shops on Nowolipie and on
Lesz. I turn the spool-wheel, my son mute before
the machine. Shops, despicable corners of an impure altar,
20,00 Jews are still clinging to you.

ד.

מען האָט געוואוינט אין מיסטקאַסטנס. אין גאס איז וואַרם נאָך און אין דער וואוינונג פרעמד –
ס'האָט קיינער אין זיין וואוינונג ניט געוואוינט, און ס'האָט אין וואוינונגען אונהיימליך ג'יאָנט אַ קעלט,
מען האָט דעם אָרימען געקעכטס גענעסן פון א פרעמדן טעלער, געטראָגן נישט דאָס אייגענע די העמד,
אין בעטן פרעמדע קאלט און האַרט געליינט זיך... אָ, בעטן פרעמדע, אין א פרעמד געצעלט!

ה.

כ'האָב אָפט זיך איינגעשטעלט, ארויסגעריסן זיך פון שאָפּ, געשמוגלט זיך געהיים דורך גאסן לער,
אריינגעגנב'עט זיך אין געטאָ, כ'האָב צוגעזען א לעבן דאָרט, דאָס לעבן גרויליק אויף א ווייל,
צו וואָס? צו ווען? כ'האָב פריינט געהאט דאָ נאָנטע – איך האָב זיי קיינעם שוין ניט מער!
כ'האָב אין געאייל אריינגעריסן זיך אין געטאָ און ריים ארויס פון דאָרט זיך אין געאייל.

ו.

כ'האָב פריינט געהאט דאָ, נאָנטע, שרייבער יידישע און מחיקער און מאָלער – נישטאָ זיי קיינעם שוין,
מען האָט זיי אלע אויסגעהרג'עט, הלל צייטלינען – מען האָט אין טלית אים, צום אומשלאק אים פארשלעפּט,
און אויפן אומשלאק אים דערשאָסן, ישראל שטערן, גילבערט – בריליאַנטן גרויס אין אונדזער קרוין –
ווארשאווסקי'ס! דאווידאָוויטשעס! וושאק לעווים! און אָסטשעגאַס – אָ קרוינען שטאָלץ אויף יידישע אויף קעפּ!

ז.

און אין א וואָך ארום – און כ'גנב'ע זיך אריין אין געטאָ ווידער... איך האָב דאָרט צוקערמאַנען, יאָ!
יצחק צוקערמאַנען האָב איך, צביה'ן האָב איך – די שענסטע און די בעסטע אויף דער ערד!
חלוצים! יאָ! ווער זאָגט: מיר האָבן אלץ אויף דר'ערד פארלוירן שוין? חלוצים זענען דאָ!
ס'איז דאָ אן אינהאלט נאָך, אַן אָנהאלט... איך וויין ניט, ניין, די אויגן זענען מיר נאָר קוים פארטרערט.

4.

We live in dumpsters, it's warmer in the street than
in foreign houses, which are freezing cold, cook a poor soup;
we eat from others' plates. Not even shirts are ours.
Sleep on cold, hard, strange beds.

5.

Often, I risk going through the deserted streets to
the Ghetto, observing the cruelty of the life there.
Why? For whom? None of my friends remain. In a
rush I entered the Ghetto; in a rush I get out of it.

6.

So many writers, musicians, painter friends.
They dragged Hillel Zeitlin wrapped in a talis, shot him.
Israel Stern, Gilbert, Warszawski! Dawidowicz, Jacques Levi,
Ostrzega, also. Precious diamonds.

7.

A week later, in the Ghetto, there's Zuckerman!*
Yitzhok with his Zivia*, beautifulest in the world! Chalutzim*!
Who says we've lost everything?
No, I'm not crying, my eyes are just veiled in tears.

ח.

יצחק! ר׳האָט יענע וואָך געבּראכט א גרוס פון קראקוי מיר: לאבּאן! לאבּאן דער חלוץ האָט
א בּאַריכט אים אפּגעגעבּן וויפל אָפּיצירן, אויסוואורפן פון דער עס־עס מען האָט
אוועקגעליינגט... אַ גרוס,
און בּיים בּאריכט: ״הענט הויך!״ לאַבּאַן אין אָפּיצירך־מאַנטל ז׳אַרעסטירט, יצחק אנטלויפט,
דרייט פּרעמד אין שטאָט
ארום זיך, מיט א פוס אדורכגעשאָסן, ס׳בּלוט רינט אין שטיוול... יצחק! ליגט, ליגט! וואָס
מאכט דער פוס?

ט.

דאָס איז געווען דער זיבּצענטער יאנוואר, יאָר דריי און פערציק, איך בּין געבּליבּן דאָרט די
נאכט,
און אז ס׳האָט אָנגעהויבּן קוים צו טאָגן – בּעסער ווען עס וואָלט ניט ווערן שוין, ניט קיינמאָל
טאָגן!
איך בּין ארוים אין גאס, געגרייט אין וועג זיך, פון זאמענהאָף אויף נאָוואָליפּיע – דער געטאָ
איז פארמאכט!
עס־עס צעיאָגט אונדז: צריק! ס׳קומען אָן זשאנדארמען, הויך די בּיקסן, צעשטעלן זיך אין יעדן
ראָג.

י.

שוין ווידער! ווידער! וואָס קען שוין זיין דאָ ווידער? עס איז דאָך אוים מיט אונדז. אַך, ס׳ווערט
מיר קאַלט און הייס,
איך גיי צוריק צום זון, צו די חלוצים... זיי ווייסן שוין, ס׳האָט ווער פון דרויסן שוין געבּראכט די
נייעס...
צביה! זע, יצחק, ער אויך איז אויף די פיס, אויף דעם געזונטן און דעם דורכגעשאָסענעם –
ווער ווייס
צי ס׳רינט דאָס בּלוט פון אים ניט אין דעם שטיוול?... ר׳האָט מיך דערזען און איז פון בּלאס
געוואָרן ווייס

8.

Last week he brought me word from Krakov
about Laban the Chalutz and some SS shits they killed.
Laban, in German uniform, was arrested.
Yitzhok escaped with a foot-wound. Lie down. How is it?

9.

It was January 14, 1943. I spent the night in the Ghetto.
Next day — may it never have come — the
Ghetto was closed! The SS is chasing us back!
Cops, rifles pointed, are placed on every corner.

10.

What's gonna happen? It's the end of us. Shudder.
I go back to my son and the Chalutzim. They know all already.
Zivia! And Yitzhok—who knows if the blood's still filling his boot.
He looks at me, white.

יא.
ווי קאַלד... ר'זענט ווײם ווי קאַלד, יצחק! איך האָב'ם אים ניט געזאָגט... ער רופט א חלוץ צו –
״ניי גלייך
און זוך א בונקער אויף דאָ אין דעם הויף און פיר אריין זיי!״ איך נעם יצחק'ן פאר'ן האנט אָן –
״הער,
יצחק!״ און כ'דריק אים פעסט די האַנט, ער רויטלט זיך... ״יצחק! איך וויל דאָ זיין מיט אייך,
צבי – אויב ער וויל... ער אויך! ער וויל ניט גיין... יצחק!״ און ס'קומט אריין א חלוץ און
פארטיילט געווער.

יב.
פאר מיר איז ניט געוועזן גאָר נישט – נאָר ס'איז פאר מיר, פאר מיר געוועזן אלץ! הגם צו
שפעט...
ניין, ניין! ס'איז קיינמאָל ניט צו שפעט! דער לעצטער ייד – קוים לייגט אוועק ער א רוצח
ראַטעוועט זיין פאָלק!
מען קען א פאָלק אַן אויסגעהרג'עטן שוין ראטעווען דאָך אויך... ראַטעוועט! איך האָב צו זיי
גערעדט,
איך האָב געשטאַרקט זיי, יאָ! אי זיי אי מיך געשטאַרקט, איך האָב צו זיי גערעדט, געוואונשן
זיי דערפאָלג.

יג.
זיי האָבן זיך צעשטעלט, חלוצים אויף דער וואַך, האַרט ביי דער טיר, אין אַלקער און העכער
אויף אַ טרעפ.
לעם פענסטער האָט ווער אויסגערופן שטיל אלץ וואָס אין גאס קומט פאָר, איך האָב געקוקט
פארשטיינערט אין א שויב.
זי איז ארויס צום אומשלאַק... ווײ מיר, מען פירט זיי שוין פארשווינגענע, אראָפּגעלאָזן טיף די
קעפ.
אָ, יידן מיינע, לעצטע מייע פון מיין פאָלק, פארוואָס בין איך ניט בלינד? פארוואָס בין איך
נישט טויב?

11.

"You're white like lime,Yitzhok!" I didn't say. He calls to a Chalutz to "Run behind the courtyard doors." I take his hand. "I wanna stay with you, Yitzhok. Zvi too." The Chalutz gives us weapons.

12.

There was nothing for me but everything. Even if too late. No, no, it's never too late.The last Jew, if he kills an assassin, saves his people. I told them to make them and myself strong, wishing success.

13.

The Chalutzim are ready, near the door, on steps; one whispers about what's outside. I'm petrified by a window. Hell, they're taking them away with bent heads, my Jews. O why am I not blind, not deaf?

יד.
שאַט, א געלאָף, וושאַנדאַרמען צוויי אנטלויפן לענג אוים די גאס, ס׳קומען צריק באַלד מער, זיי
צינדן אונטער אַ געבײַ,
א הייזל קליין צעפלאַקערט זיך אנטקעגן מיינע פענסטער, א פייערלעשער שלעכט אָנשטאָט
צו לעשן – בלאָזט
די פלאַם פונאַנדער, ר׳גייט צום דייטש צו, רעדט צו אים אויף פויליש: דאָ האָבן זיך באַהאַלטן
גאַנצע דריי!
מען שלעפּט ארוים זיי – און ס׳רויטעלט זיך דער שניי ווייס און רויכלט ווארם זיך אין פראָסט.

טו.
שאַט, שאַט! מען איז שוין דאָ ביי אונדז! איך זע דאָס פּנים ניט פון דייטש, זיין פּלייצע נאָר,
ס׳האָט קיינער אים, דעם דייטש, אין פּלייצע ניט געשאָסן, ער האָט א קויל באַקומען אין דער
ברוסט,
ער פאַלט, דער צווייטער אויך – ״די יודען שיסן!״ האָט באַוויזן ווער פון זיי דערשטיקנט א רוף
טאָן, יאָ, טאַקע וואָר!
זכריה, דו און נוטמאַן, אליעזר, דאָ, – חלוצים! און אויף דער ניזקאַ – שומרים. יאָ, יודען שיסן!
זיי האָבן ס׳ניט געוואוסט...

3-5.1.1944

14.

Shsh! Two cops running, more coming; they set fire to a house; it's
burning; a fireman instead of putting it out, stirs it up,
tells the German in Polish:
they have the hidden three. The snow's dyed red.

15.

Shsh! Here they are. I don't see the German's face,
only his back. No one shoots in the back.
One takes a bullet in his chest.
"The Jews are firing!" Chalutzim in Niska Street, and Shomrim.*

יד. די ענד

זיי האָבן ניט געוואוסט, זיך ניט געריכט – "די יודען שיסן!" איך האָב געהערט דעם
אויסוואורף'ס עקלדיקע שטים
אײדער נאָך די אומרײנע נשמה ז'איז ארויס, ס'איז ניט געווען קיין אויסרוף, נאָר אַ בייז
וואונדער – ס'טייטש?!
א שטוינען וויסט און אויסטערליש און אומגעריכט אזוי: "די יודען שיסן!" אָ, נישט אליין פון
אים,
ס'איז א רוף געווען פון א מערדער־פאָלק, פון אַכציק מיליאָן: זיי אויך! די יידן מאַכן'ס אויך ווי
מיר, ווי יעדער דייטש.

ב.
ווי אונדז! מיר קענען, יא, מיר קענען זיך אַנטקעגן שטעלן אויך און אייך דערהרג'נען, מיר
אויך! מיר אויך!
מיר קענען אָבער דאָס וואָס איר האָט קיינמאָל נישט געקענט און וועט ניט קענען קיין מאָל
אויף דער ערד –
ניט הרג'ענען אַ צווייטן! ניט אויסראָטן אַ פאָלק ווייל ער איז ווערלאָז, וואָס הויבט אומזיסט די
אויגן אין דער הויך.
איר קענט ניט: ניט דערהרג'ענען, איר זינדיקע פון דער נאַטור, איר מחט'ס, אייביקע איר
פּאָכער מיט דער שווערד.

ג.
איך קען אייך גוט! און איז מיין וואָרט ניט שטאַרק ווי ס'וואָרט פון מיינע אבות, די נביאים, איך
האָב אַדורכגעדרונגען אייך ווי זיי!
אָנהייב יול, בעת זיי האָבן אָנגעהויבן אונדז ארויספירן צום טויט פון וואַרשאָ, האט מען
באַראָטן זיך, איך, ווען איך בין
אויף יענער זייט – איך וואָלט געווען מיט די חלוצים, איך וואָלט מיט זיי דאַן אויפגעהויבן אַ
געשריי –
תמות נפשי! יאָ... זיי הרג'נען אים אונדז אלע, ווי אין ליטע, אין אוקראַינע, וואָליניען און
לובלין!

14 The End

1.

They hadn't expected "Jews shooting!"
I heard that disgusting voice before his spirit left his body.
Not just his but all 80,000,000 Germans, astonished,
"The Jews are shooting, like us, like any German."

2.

Yes, we can face and kill you, even us!
We know what you've never known and never will:
not to kill your neighbor or exterminate defenseless people.
Sin's your nature, always waving swords like fans.

3.

I know you well; I foresaw your plans, beginning July when you
started taking us from Warsaw to our death.
There was a reunion, I was with the Chalutzim,
we were crying out: Tamus Nafshi!*

ד.
ס'וואָלט ניט געהאָלפֿן, כ'ווייס... ניט ווייל מיר האָבן ניט געהאַט ניט קיינער, ניט קיין סימן פֿון געוועהר –
אַ האַק איז אויך פֿון אייזן, און קוילן גראָבן זיך ניט טיפֿער איין אין לייבּ ווי נעגל שאַרף,
נאָר יידן אין אַמעריקאַ, אין ארץ־ישראל, זיי וואָלטן ווייט און טרויעריק אויף אונדז נאָך אונדז געלאָזט אַ טרער
און שטיל, און אפשר ניט נאָר שטיל אַ זאָג געטאָן: אַך, ווען מען שטעלט זיך ניט אנטקעגן! מען האָט עס ניט באַדאַרפֿט...

ה.
ניין, ניט באַדאַרפֿט! ווײַ מיר, איך בין פֿאַר ניי־יאָר נאָך געזעסן שטום, מיט יידן נאָך, מיט לייטערס פֿון אַ שאָף,
און יידן פּויליש־ריידנדיקע האָבן אויסגעדריקט גרוים זייער צאָרן און זייער ווייטאָק קליין –:
"אַזאַ אַ פֿאָלק! וואָס האָט געלאָזן זיך ווי קעלבער אויסשעכטן, אַזאַ אַ פֿאָלק!" און האָבן בייז געשאָקלט מיטן קאָפּ...
ווײַ, ווײַ, דאָס פֿאָלק וואָס מח געהרג'עט ווערן, אויסגעהרג'עט ווערן אויף דער ערד און איז ניט יוצא נאָך פֿאַר זיך אליין!

ו.
דעם אַכטצענטן אין ערשטן האָב איך געזען פֿינף טויזנט פֿון מיין פֿאָלק גענומען און געפֿירט צום טויט,
און דייטשן צוויי נאָר, רוצחים צוויי האָב איך געזען פֿון די אין יענעם טאָג אוועקגעלייגטע צוועלף,
נאָר צוועלף! און ס'האָט אויף זיי, אויף די באַוואָפֿנטע פּחדנים, פֿאַרציטערט קאַלט די הויט,
"די יודען שיסן!" און זיי האָבן זאַלבע צווייט אין אונדזערע באַהעלטענישן זיך ניט מער באַווייזן,
נאָר מחנות'ווייז ווי וועלף.

ז.
ווי וועלף! איך האָב מיט יידן יונג געקלעטערט איבער מויערן, אויף דעכער שיף, מיט שנײ און אייז באַדעקט, אַ גאַנצן בלאָק
פֿון אַכט־און־פֿופֿציק זאַמענהאָף אויף פֿיר־און־פֿערציק מוראַנאָוו און פֿונעם דאַך אַרונטער אין דעם הויז,
איך מיט חברים עטליכע בלייבּ אויף דעם בוידעם, און ס'האָבן עטליכע אַראָפּגעלאָזן זיך פֿון דאָרטן אויף אַ שטאָק,
דאָס האָבן זיי דערשאָסן נאָך צוויי מערדער, איך האָב זיי ניט געזען, איך האָב געהערט די שאָסן בלויז.

4.

I know, not ‘cause we didn't have even a shadow of a gun
or an iron ax, and could only plant nails in bodies as if bullets.
Jews in America, Eretz Israel'd have said:
O if only we'd reacted. But they didn't.

5.

No, they didn't. Just before New Year's Day, I sat in silence with Jews
who managed a shop; they spoke in Polish:
"What kind of people is it who allows them
to carry you to slaughter like calves?"

6.

January 18 I saw 5,000 Jews carried to their death
and only two killers of 12 killed. Just 12?!
Those armed cowards trembled. "Jews are shooting!"
No more going in pairs, but in gangs like wolves.

7.

Like wolves! With young Jews I got onto a roof
of snow and ice on 58 Zamenhofa Street and from the roof
dropped into a house. I remained in the attic,
while others went down to kill two murderers.

ח.

פאַרנאַכט בין איך אוועק מיט אַלעמען אויף מילא אייךאוןזעכציק, שוין מיט אַ ביקס און
רעוואָלווער נאָך – אַ שאַטן!
אויפמאָרגן האָט מען זיך צעטיילט, איך בין צווישן הונדערטער געזעסן אויף אַ בוידעם –
קאָלט און לאַנג און שמאָל,
עס האָט אַ פרוי לעם מיר אַ הוסט געטאָן איין מאָל און נאָך אַמאָל, אַ ייִד איז צו איר
צוגעשפּרונגען ווי אַ קאַטץ
און געוואַרט, מיט פינגער אויסגעשטרעקט, מיט נעגל שאַרף – ער וואַרט אויף נאָך אַ הוסט...
קוים הוסט זי נאָך אַמאָל!

ט.

אין אַ וואָך אַרום האָב איך זיך אומגעקערט אין שאָפּ... אויף נאָוואָליפּיע האָבן ייִדן אויך אַ סך
געפעלט,
און אויף דער לעש, דאָרט איז געווען לייכטער אומצוברענגען אונדז, מען האָט דעריבער אונדז
אין שאָפּן קאָנצענטרירט,
ביטש! וואו ביסטו, ביטש? פון קליינעם בונד נישט לאַנג און טיף אַ ייִד יעצט! מען האָט אויף
נאָוואָליפּיע אויך אַנטקעגן זיך געשטעלט!
אויך אויף דער לעש! מען האָט די טעג אויך אין די שאָפּן אויסגעהרג'עט אונדז, פון שאָפּן אונדז
צום טויט אַרויסגעפירט.

י.

מיר ווערן ניט פון טאָג צו טאָג און קיינער שטאַרבט ניט, ס'האָט קיינער ניט באַוויזן שטאַרבן
ווי מען איז געווינט געווען אַמאָל.
מען הרג'עט אויס אונדז, די פון אַ קויל אין גאַס, די פאַרפייניקט אויף זשעלאַזנאַ הונדערט
דריי, און די אַרויסגעפירט – געוואַלד!
מיר ווילט זיך שרייען גוואַלד! מיר ווילט זיך לויפן אין די גאַסן, ווייט און ברייט פאַרברעכן מיט
די הענט און שרייען אויפן קול...
און פרייד איז אויך פאַראַן: געווער! מען קויפט געווער! מען רייסט אַרויס זיך אין די וועלדער
אויך, צבי וויל אין וואַלד –

8.

Night came. We posted ourselves in 61 Mila
with rifles and revolvers—a treasure!
Morning I was with 100 others in a long, attic.
A woman near me was coughing. A Jew cat-sprang. She stopped.

9.

In a week I was back in the shop. So easy to kill us there,
so they focussed on the shops. Bitsh? Where are you.
Bitsh? These days they're killing us in the shops
or carrying us off to death.

10.

Day after day we defend. No one'll die as before,
though we wanna cry Help, run through streets wringing hands,
shouting for joy too. Weapons! We'll buy weapons.
Flee to woods. Zvi'll go too!

יא.
אזא א ביסל יידן! אזא א קאָפּ און ס'זענען איבעריקע צווישן זיי דאָ – אַלפרעד נאָסיג ימח שמו
און פּאָליציאַנטן יידישע, אַך יידן, יידן וואָס האָבן זיך פאַרקויפט צום דייטש... און פיין אין
דעם איז אונדז א טרייסט באַשערט.
יידן שיסן זיי ווי הינט אויס... שיסט! צען שלעכטע יידן הרג'עט, איידער הרג'ענען איין
שלעכטן גוי.
ניט אלע הרג'עט מען. עס זענען געלד־זעק דאָ, און זיי באשטייערט מען: אזוי פיל און אזוי פיל
אויף געווער!

יב.
און דורכגענג זענען דאָ דורך בוידעמער, פון לעש אויף נאָוואָליפּיע, פון נאָוואָליפּיע פירט א
בוידעם אין א הויף
אויף סמאָטשע, פון סמאָטשע וויסט א גאס, אז מען פאַרנעמט מיט א רעוואָלווער זיך רעכטס
און דורך אַ לאָך
אין א מויער דיק – קומט מען גלייך אריין אין געטאָ, טרעפט א דייטש דיך – גיי! גיי דרייסט
דיין וועג, נישט לויף –
ער איז דיר חושד אז דו האָסט געווער און ער מיידט דיך אויס... וואָס נאָך? וואָס ווילסטו
טייערער מיין פריינט דען נאָך?

יג.
ווי ווילסטו דאָס זעלבע דאָך וואָס איך... איך וויל עס זאָל אַ שלאַק מיך טרעפן, אנידערלייגן מיך,
כאָטש שוין – און אויס!
די שאָפן טראָגן זיך אין ארבייטס־לאַגערן אריבער מיטן לעצטן הייפל יידן אין לובלינער
קאַנט –
איך וועל אהין ניט פאָרן... ניין! ניטאָ פאר מיר קיין בונקער דאָ און צו דיר, אַריער, קען איך ניט
ארוים,
ס'קרינן עטליכע פון קרובים אויסלאנדספּעסער, יאָ... וואָלט ערגעץוואו זיך עמיצער אָן מיר
דערמאָנט...

11.

So few Jews. Among them the useless: Alfred
Nosig, may his name be x'd out, with Jew cops', who sold
themselves to Nazis. Jews killed them like dogs.
Measly rich'll be taxed by the rifle too.

12.

An attic's over a courtyard on Smocza Street. If, with pistol,
you turn right, go through a hole in the wall you enter the Ghetto.
You meet a German, go on. Don't run.
You're armed, he'll avoid you.

13.

You want the same as me, that their beating and
killing us be done! Shops are transferring the last
Jews to work-camps in Lublin. I don't want to go.
Some get papers from relatives abroad; if only us.

יד.
איך בין פאר אלע מיינע שוין געשטאָרבן... הלואי וואָלט איך געשטאָרבן, איך אָבער וועל ניט
שטאַרבן, ניין, מען וועט
מיך הרג'ענען... איך בין שוין ניט אויף נאָוואָליפּיע, זי ליקווידירט זיך, כ'וואַלנער אויף דער
לעש זיך שוין זייט טעג,
ביי א באקאנטן זיצט א יונגערמאן בלאס און דערציילט: ער קומט פון וועג יעצט, ער איז
אדורכגעגאנגען שטעט
און שטעטלעך אין קרויז־פּוילן, ער האָט קיין ייד שוין דאָרטן ניט געזען, ניט באגעגנט קיינעם
אויף אַ וועג.

טו.
דאָס איז געווען צוויי טעג פאר פּסח. און ערב פּסח פרי ז'געוועז שוין אוים מיט לעש, און אויף
דער לעש
האָב איך אין מיין באהעלטעניש געהערט קאַנאָנען טאָג און נאַכט, ביינאַכט האָב איך געזען
עס ברענט –
דער געטאָ ברענט, ער ברענט אויף זיינע מויערן און זיינע לעצטע יידן, ס'פּייער העשט און
העשט,
דער הימל איז געווען באלויכטן און אויב ס'איז דאָ דאָרט ווער, האָט צוגעקוקט זיך און געזען די
ענד.

9-13.1.1944

14.

All mine are dead. Would that I...but no, I don't wanna die
but they'll kill me. Next to a friend sat a young man
who said he'd crossed all cities and
villages in Poland and saw not a single Jew.

15.

It's the morning of Passover eve; Lesz Street's finished
and in my hiding place there I've heard cannon day and night,
seen the Ghetto burning, the heavens lit up.
You're observing The End.

טו. נאָך אלעמען

די ענד. דער הימל פלאַקערט אין די נעכט, ער וויקלט אין אַ רויך בייטאָג זיך און צינדט
ביינאַכט זיך ווידער אָן, אַ שרעק!
להבדיל ווי דער מדבר, ווילד, אין אונדזער פריסטן אָנהייב: בייטאָג אַ וואָלקן־זייל און העל אַ
פייער־זייל ביינאַכט –
מיין פאָלק, ער איז אין פרייד, געשטאַרקט אין גלויבן, אַ לעבן יונג אַנטקעגן דאַן געגאַנגען, און
יעצט – אַ סוף, אַן עק...
מען האָט אונדז אויסגעהרג׳עט אַלע אויף דער ערד, פון קליין ביז גרויס, מען האָט אונדז
אַלעמען דאָ אומגעבראַכט.

ב.
פאַרוואָס? אָ, פרעגט ניט, קיינער ניט – פאַרוואָס? ווייל יעדער ווייס עס, פון דעם בעסטן ביז
דעם ערגסטן גוי –
דער ערגסטער האָט די דייטשן צוגעהאָלפן, דער בעסערער האָט צוגעקוקט זיך מיט איין אויג,
געמאַכט זיך... אַז ער שלאָפט –
ניין, ניין, ס׳וועט קיינער ניט קיין רעכנשאַפט פאַרלאַנגען, ניט נאָכפאָרשן, ניט פרעגן זיך:
פאַרוואָס אַזוי?
אונדזער בלוט איז הפקר, מען מעג פאַרגיסן אים, מען קען אונדז אומברענגען, דערמאָרדן
אומבאַשטראָפט.

ג.
ביי די פּאָליאַקן האָבן זיי געזוכט די פרייהייטס־קעמפער, נאָר די אויף וועמען ס׳איז געפאַלן
קוים אַ חשד
אַז ער איז טריי זיין פאָלק... די רוסן האָט מען אויסגעהרג׳עט מערער נאָך אין דערפער און אין
אַלע שטעט –
„פאַרטיזאַנער!“ ביי אונדז האָט מען געהרג׳עט קינדער אין די וויגן, אַזעלכע וואָס די מאַמע
האָט נאָך ניט געהאַט,
מען האָט געפירט אונדז אַלע אין טרעבלינקי, און פאַרן טויטן אונדז, געוואָנדן זיך, צו אונדז
גערעדט:

15 To The End Of All

1.

The End. Like our times of beginning in the arid desert:
by day a column of cloud, by night one of fire.
Then my people, strong in faith, joyfully strode to new life.
Now they've exterminated all of us.

2.

Why? Don't ask, why? All know, from the best to
the wickedest of Gentiles, the latter shaking the
German hand, the former with half-closed eyes pretending sleep.
Our blood's not worth much.

3.

Polish combatants, only those "patriots" seeking liberty,
massacred so many Russian "Partisans" in villages and cities.
From us they've killed babies in cradles,
taken us all to Treblinka where they tell us:

ד.

„איר טוט זיך אויס דאָ, לייגט די קליידער אויף אַן אָרט, די שיך צו פּאָר, לאָזט איבער אַלץ דאָ
וואָס איר האָט,
איר וועט דאָך אַלץ נאָך דאַרפֿן, די קליידער און די שיך און אַלץ, אַלץ וואָס איר לאָזט דאָ איבער,
איר קומט דאָך באַלד צוריק!
איר זענט פֿון וועג, אַיאָ? פֿון וואַרשאָ? פֿון פּאַריז? פֿון פּראָג? פֿון סאַלאָניקי? גייט נעמט אַ
באָד!"
און ס'ווערן טויזנט אין אַ זאַל אַריינגעלאָזן... און טויזנט וואַרטן נאַקעט ביז די ערשטע טויזנט
ווערט דערשטיקט.

ה.

אַזוי האָט מען אונדז אומגעבראַכט, פֿון גריכנלאַנד ביז אין נאָרוועגיען און ביז פּאַר מאָסקווע –
ביי זיבן מיליאָן,
ניט רעכענענדיק קינדער יידישע אין בייכער, אַליין די שוואַנגערע, די ערב־מאַמעס קומען אין
באַטראַכט,
און בלייבט אַ ייד ווייט אין אַמעריקאַ, אין ארץ־ישראל נאָענט – מאָן אויך די קינדער ביי דער
וועלט, מאָן, מאָן
די ניט געבוירענע נאָך און דערהרג'עט, מאָן די דערשטיקטע מיט דער מאַמען אין דער מאַמעס
טראַכט.

ו.

פֿאַרוואָס? עס פֿרעגט ניט, קיינער ניט אויף דר'ערד, און אַלץ, אַלץ פֿרעגט פֿאַרוואָס?
פֿאַרוואָס? הער, הער!
יעדע וואַרונג וויסט אין חרובֿע אין מויערן, אין טויזנט שטעט און שטעטלעך טויזנטער און
מערער פֿרעגט:
פֿאַרוואָס? הער, הער: ווייל וויסטע דירות זענען לאַנג ניט וויסט, און היימען, היימען לערע
זענען לאַנג ניט לער –
עס קלייבט אַן אַנדער פֿאָלק אַהער אַריין זיך און מענטשן אַנדערע, אַן אַנדערע אַ שפּראַך, און
אַנדערע די נעכט און טעג.

4.

"Get undressed, fold your clothes, line up shoes,
leave all here 'cause soon you'll be returning to them.
Warsaw? Paris? Prague? Salonica? Go to the bath."
We're packed in a huge room and gassed.

5.

Exterminated us from Greece, Norway to outskirts of Moscow,
almost 7,000,000 not counting babies in the laps of pregnant women,
or the unborn but killed by asphyxiation
in bellies of their mothers.

6.

Why? If no one on earth asks it, yet all ask why?
Listen, listen! Every deserted house, every wall in thousands of cities
and villages asks why? Other humans will live in them,
with other languages.

ז.

עס וועט די זון מער אין איר אויפשטייג איבער קליין א שטעטעלע אין ליטע און אין פוילן ניט טרעפן שוין א ייד

א ליכטיקן אין פענסטער, אַן אַלטיטשקן, א זאָגנדיקן א קאַפּיטל תהלים און א צווייטן גייענדיק אין שול –

עס וועלן אלץ נאָך פויערן אין פורן אויף אלע וועגן איר אַנטקעגנן פאָרן, זיי וועלן אלץ נאָך פאָרן צום יאַריד,

אזוי פיל גויים – גוואַלד! מערער נאָך ווי פריער! און דער מאַרק, דער מאַרק איז טויט! דער מאַרק איז פול און איז ניט פול!

ח.

עס וועט אַ ייד ניט מער באַשיינען די יאַרידן וויט ארום, ניט מער באַלעבן זיי, ניט מער אריינבלאָזן אין זיי אַ גייסט

און ס'וועט ניט מער צעפּאָכען זיך אַ יידישע קאַפּאָטע איבער מערק מיט זעק קאַרטאָפל, מעל און קאַשעס, און אַ האַנט

אַ יידישע וועט ניט אַ הייב טאָן און אַ טאַפּ טאָן ווייך אַ הון, אַ קעלבל ניט קיין גלעט טאָן... דאָס פויערל אַ שיכורער, ער שמייסט

זיין פערדעלע אין צער, ער שלעפּט די פולע פור צוריק אין דאָרף אריין... ניטאָ! ניטאָ קיין יידן מער אין לאַנד!

ט.

און קינדער יידישע – זיי וועלן זיך ניט אויפכאַפּן מער פון שלאָף שוין, פון חלומות ליכטיק יעדן אין דער פרי –

ניט גיין אין חדר מער, ניט מער פארקוקן זיך אויף פייגעלעך, ניט שטיפן מער, ניט שפּילן זיך אין זאַמד,

אָ, ייִנגעלעך, איר יידישע, אָ, שיינענדיקע אויגעלעך! מלאכים'לעך... פון וואַנען איר? פון היי? און נישט פון היי!

אָ, שאָנקעוודיקע מיידעלעך, איר ליכטיקע, איר ציכטיקע, כאָטש איינגעריכט די פנים'לעך און נישט פארקאַמט.

7.

The sun rising over the shtetl of Lithuania and
Poland no longer meets a radiant old Jew reciting a psalm at a
window, or off to synagogue. It'll meet peasants going to a full yet
dead market— gevald!

8.

Nevermore will a Jew bring his gaiety, life and his
spirit to you. Nevermore will his coat-tails flutter
around bags of potatoes, flour and grain. Nor will
a Jewish hand lift a hen or caress a little calf.

9.

And Jewish kids won't wake in the morning from golden dreams,
won't go to cheder, watch birds or play devil games anymore,
won't fun around in the sand.
Little angel girls with dirty noses, ruffled hair.

י.

ניטאָ זיי שוין! אָ פרענגט ניט דאָרט אויף יענע זייטן ים, ניט פרענגט זיך אויף כתריליווקע, ניט
אויף יעהופּעץ... לאָזט געמאַך!

זוך ניט קיינער, ניט די מנחם־מענדעלעך, די טוביה־מילכיקערס, די שלמה נגיד'ס, די מאָטקע
גנב'ס, אָ ניט זוך!

זיי וועלן דיר, ווי די נביאים דיינע, ווי ישעיה, ירמיה, יחזקאל, ווי הושע, עמוס פון דעם אייביקן
תנ"ך,

ארויסוויינען אזוי פון ביאליקן, ארויסריידן צו דיר פון שלום־עליכם'ן, פון שלום אַש'ס אַ בוך.

יא.

עס וועט דאָס קול פון תורה זיך ניט לאָזן הערן פון ישיבות מער, פון קיין בית־מדרש, און
בחורים'לעך בלאַס,

געאיידלטע אין לערנען, אין פאַרטיפן זיך אין דער גמרא, אין פארטראַכטן זיך... ניין, ניין, ניט
בלאַס, עס איז אזא א שיין!

פארלאָשן שוין... רבנים, ראשי ישיבות, יידן לערנער, גאונים דאַר און קוואַר און שוואַך און
אָנגעפילט מיט ש"ס,

מיט פּוסקים, קליינע יידעלעך מיט גרויסע קעפּ, מיט הויכע שטערנס, אויגן קלאָר – ניטאָ זיי
שוין, זיי וועלן מער ניט זיין.

יב.

עס וועט אַ מאמע ניט פארזוינגן מער א קינד, מען וועט ניט שטאַרבן שוין ביי יידן און ניט
געבוירן ווערן מער,

ניט געזונגען ווערן וועלן לידער הארציקע פון יידישע פון דיכטער, פון שרייבער גרויסע, שוין
פארביי, פארביי!

און יידישע טעאַטערס וועלן מער ניט זיין שוין, מען וועט ניט לאַכן דאָרט, ניט לאָזן שטיל אַ
טרער,

און מחיקער און מאָלער יידישע, בארטשינסקי'ס, זיי וועלן מער אין פרייד און לייד ניט שאַפן,
ניט זוכן וועגן ניי.

10.

Don't ask about Kasrilvke or Yehupetz or look for Menachem-Mendel,
Tevye-Milkhiker, the Shloime-Noghed, the Motke-Ganef.
They'll speak to you through
Bialik, Sholem Aleichem, Sholem Asch.

11.

No longer will the voice of Tora resonate from
Yeshivas and synagogues, nor that of the pale,
noble boys at study. No, it's not paleness, it was light,
a light now gone and that nevermore will be.

12.

No Jew will die or be born anymore;
the songs of the poets won't be sung. All's finished.
No Yiddish theater will make people laugh or cry;
Jewish painters, musicians like Barcinski won't create.

יג.
און ס׳וועלן יידן אין די שטעט ניט שטיין אין קאַמף שוין, ניט מקריב זיין זיך מער פאר יענעמ׳ס
וואויל,
מען וועט ניט היילן מער, ניט לינדערן א פרעמדן ווייטאָק, ניט פילנדיק דעם אייגענעם, דעם
שמאַרץ.
אָ, נאַרישער דו גוי, דו אויך, האָסט פון א זייט אין ייד אריינגעשאָסן, און דיך, דיך אויך
געטראָפן האָט די קויל!
אָ, ווער וועט העלפן דיר, די לענדער דיינע בויען? ווער וועט אזוי א סך אוועקגעבן נשמה דיר און
האַרץ?

יד.
און מיינע קאָמוניסטן היטצקעפּ וועלן זיך ניט אַמפּערן שוין מער, ניט קריגן זיך מיט מיינע
מאַסן פונם בונד,
און בײדע זיי מיט מיינע פרייסטע, מיט די טרייסטע מיינע, וואס האָבן גאנץ דעם יאָך אויף זיך
געשלעפּט –
חלוצים יידישע! זיי האָבן זיך דער וועלט אוועקגעשאָנקען און ניט פארלאָזן זי די אייגענע די
וואונד,
כ׳האָב צוגעקוקט זיך צו די קריגערייען און געווייטאָקט... נאָר וואָלט איר ווייטער זיך
ארומגעריסן, אבי איר וואָלט געלעבט!

טו.
ווי מיר, ניטאָ, ניט קיינער שוין... געווען א פאָלק, געווען, און שוין ניטאָ... געווען א פאָלק,
געווען, און שוין... שוין אויס!
אַ מעשה׳לע אזא, עס הייבט פון חומש׳ל זיך אָן און ביז, ביז יעצט... א מעשה׳לע נאָר
טרויעריק, ווער זאָגט אַז שיין?
אַ מעשה פון עמלק׳ן און ביז אַן ערגערן פון אים, דעם דייטש... אָ הימל ווייט, אָ ברייט די ערד,
אָ ימים גרויס –
ניט באַלט צחאַמען אין איין קנויל זיך און ניט פארניכט די שלעכטע אויף דער ערד, זאָלן זיי
פארניכטן זיך אליין!

15-17.1.1944

13.

And Jews won't battle anymore, won't sacrifice
themselves for the good of their neighbor or seek
to soothe the suffering of others. O foolish Gentile,
you've shot the Jew but the bullet's struck you too!

14.

And those warm heads of my Communists won't
be quarreling with Bundists and both not fighting
with my faithful Chalutzim thirsty to lift the yoke of
all warriors. If only you could quarrel and be alive!

15.

There was a people and now there isn't.
What a sad history that goes from Amelek to one worse than him,
a German. O heavens, earth, seas, don't plot to kill the wickedest;
let them kill themselves!

NOTES

These Notes are listed according to Section slash Number of Quatrain.

1/13	A great student of the Talmud
3/8	Abbreviation of Umschlagplatz, where the train station was that took the Jews to their death
4/10	Recited as a Last Rite in the hour of one's death
6/2	A Yiddish name for a synagogue
6/2	The motions of the body while praying
7/1	Woe is me
7/3	The Hebrew is Tekel Tekel
8/9	Attendant in a synagogue
12/4	German factories where Jews worked so as not more immediately be taken to be gassed
13/7	One of the Resistance leaders in the Ghetto who survived the war
13/7	His wife, who also fought and survived
13/7	Young pioneer Socialist Zionists
13/15	Members of a group to the Left of the Zionists
14/3	Allusion to Samson's saying: May I die with the Philistines